Lab Manual / Workbook

Голоса

A Basic Course in Russian

Book 1

Second Edition

Joanna Robin
The George Washington University

Kathryn Henry
University of Iowa

Richard Robin
The George Washington University

Prentice Hall
Prentice Hall
Upper Saddle River, New Jersey 07458

Editor in Chief: Rosemary Bradley
Assistant Editor: Heather Finstuen
Cover and Interior Design: Ximena Piedra Tamvakopoulos
Manufacturing Buyer: Tricia Kenny
Senior Marketing Manager: Chris Johnson

Upper Saddle River, New Jersey 07458

Printed in the United States of America
10 9 8 7 6 5

ISBN 0-13-895053-9

Prentice-Hall International (UK) Limited, *London*
Prentice-Hall of Australia Pty. Limited, *Sydney*
Prentice-Hall Canada Inc., *Toronto*
Prentice-Hall Hispanoamericana, S.A., *Mexico*
Prentice-Hall of India Private Limited, *New Delhi*
Prentice-Hall of Japan, Inc., *Tokyo*
Editora Prentice-Hall do Brasil, Lata., *Rio de Janeiro*

Contents

Алфавит

Давайте послушаем и почитаем

Listening and Reading

1. Listen to the list of the authors to be covered in an upcoming literature class.

a. Check the names you hear.

Аксёнов	Гончаро́в	Го́рький	Достое́вский	Ле́рмонтов
Лимо́нов	Набо́ков	Оле́ша	Пу́шкин	Синя́вский
Солжени́цын	Толсто́й	Турге́нев	Че́хов	Чуко́вский

б. Will the course cover 19th-, 20th-, or 19th- and 20th-century literature?

2. Listen to the itinerary for a trip, and check off the cities named.

Владивосто́к	Ирку́тск
Смоле́нск	Хаба́ровск
Ви́тебск	Санкт-Петербу́рг
Москва́	Оде́сса
Ялта	Новосиби́рск
Томск	Омск

3. Listen to the list of lottery prizes, and check off the ones named.

телеви́зор	ра́дио	саксофо́н	телефо́н
компью́тер	дива́н	камко́рдер	гита́ра
самова́р	ла́мпа	маши́на	при́нтер
фотоаппара́т	мотоци́кл	пиани́но	шокола́д

4. Listen to the announcer on tape read the names of people to be invited to a party, and check off the names you hear.

Бо́ская Анна Серге́евна

Више́вская Ната́лья Никола́евна

Влади́миров Григо́рий Никола́евич

Влади́мирова Зинаи́да Васи́льевна

Гага́рин Па́вел Па́влович

Литви́нов Никола́й Миха́йлович

Ивано́в Дми́трий Ильи́ч

Ивано́ва Еле́на Влади́мировна

Па́влова Мари́я Петро́вна

Петро́в Пётр Па́влович

Шукши́н Серге́й Петро́вич

Имя и фамилия: ______________________________ Число: ________________

7. State Names.

a. Match the Russian names of the states with their English equivalents. *Note:* **ю́жная** = *south*

___ Мэн	___ Се́верная Дако́та	1. Alabama	26. Montana
___ Нью-Хэ́мпшир	___ Южная Дако́та	2. Alaska	27. Nebraska
___ Вермо́нт	___ Небра́ска	3. Arizona	28. Nevada
___ Род-Айленд	___ Канза́с	4. Arkansas	29. New Hampshire
___ Массачу́сетс	___ Кенту́кки	5. California	30. New Jersey
___ Нью-Дже́рси	___ Теннесси́	6. Colorado	31. New Mexico
___ Нью-Йо́рк	___ Алаба́ма	7. Connecticut	32. New York
___ Пенсильва́ния	___ Миссиси́пи	8. Delaware	33. North Carolina
___ Конне́ктикут	___ Луизиа́на	9. Florida	34. North Dakota
___ Делавэ́р	___ Теха́с	10. Georgia	35. Ohio
___ Мэриле́нд	___ Оклахо́ма	11. Hawaii	36. Oklahoma
___ Округ Колу́мбия	___ Арканза́с	12. Idaho	37. Oregon
___ Вирги́ния	___ Монта́на	13. Illinois	38. Pennsylvania
___ Южная Кароли́на	___ Вайо́минг	14. Indiana	39. Rhode Island
___ Джо́рджия	___ Колора́до	15. Iowa	40. South Carolina
___ Флори́да	___ Юта	16. Kansas	41. South Dakota
___ Ога́йо	___ Нью-Ме́ксико	17. Kentucky	42. Tennessee
___ Мичига́н	___ Аризо́на	18. Louisiana	43. Texas
___ Индиа́на	___ Нева́да	19. Maine	44. Utah
___ Иллино́йс	___ Айдахо	20. Maryland	45. Vermont
___ Виско́нсин	___ Вашингто́н	21. Massachusetts	46. Virginia
___ Миннесо́та	___ Орего́н	22. Michigan	47. Washington
___ Айо́ва	___ Калифо́рния	23. Minnesota	48. West Virginia
___ Миссу́ри	___ Аля́ска	24. Mississippi	49. Wisconsin
___ За́падная Вирги́ния	___ Гава́йи	25. Missouri	50. Wyoming
___ Се́верная Кароли́на			51. District of Columbia

б. Underline the Russian names of the thirteen original colonies. Pronounce them.

в. Place a check mark next to the Russian names of the states you have visited. Pronounce them.

г. Highlight in yellow the Russian names of the states you have lived in. Pronounce them.

8. Read the text below silently to find answers to the following questions.

а. What is the person's first name?

б. Does she work or does she go to school?

в. Do she and her parents live in the same city?

г. What is her mother's profession?

д. What is her father's profession?

Меня́ зову́т Анна. Я студе́нтка. Я живу́ в Москве́. Ма́ма и па́па то́же живу́т в Москве́. Кто они́? Ма́ма инжене́р, а па́па журнали́ст.

Б. Palatalization: Hard vs. Soft Consonants

9. The labels have been mixed up from the columns in the following table. Show which labels should be attached to which columns. Then circle the soft consonants in the words in the table.

Animals	Foods	Months	Concepts	Family members
янва́рь	мать	зе́бра	мя́со	либерали́зм
февра́ль	ма́ма	ти́гры	изю́м	консервати́зм
ию́нь	сын	леопа́рд	ды́ня	коммуни́зм
а́вгуст	дя́дя	соба́ка	бифште́кс	демокра́тия
октя́брь	тётя	обезья́на	котле́ты	идеоло́гия

B. Recognizing Italic Russian Letters

10. Match the printed words with their italic counterparts.

_____ дива́н	1. *телеви́зор*
_____ компью́тер	2. *стул*
_____ телефо́н	3. *дива́н*
_____ ра́дио	4. *ра́дио*
_____ стул	5. *телефо́н*
_____ телеви́зор	6. *компью́тер*
_____ бана́н	7. *гре́йпфрут*
_____ ко́фе	8. *лимо́н*
_____ лимо́н	9. *бана́н*
_____ гре́йпфрут	10. *ко́фе*
_____ зе́бра	11. *леопа́рд*
_____ тигр	12. *жира́ф*
_____ леопа́рд	13. *зе́бра*
_____ жира́ф	14. *тигр*
_____ гита́ра	15. *пиани́но*
_____ кларне́т	16. *кларне́т*
_____ пиани́но	17. *тромбо́н*
_____ саксофо́н	18. *фле́йта*
_____ тромбо́н	19. *гита́ра*
_____ фле́йта	20. *саксофо́н*

Г. Recognizing Cursive Russian Letters

11. Match the printed words with their cursive counterparts. Then circle the printed names of the subjects you have studied.

_____ матема́тика

_____ биоло́гия

_____ хи́мия

_____ исто́рия

_____ францу́зский язы́к

_____ ру́сская литерату́ра

_____ ру́сский язы́к

_____ англи́йский язы́к

_____ францу́зская исто́рия

_____ америка́нская литерату́ра

1. *химия*
2. *русский язык*
3. *история*
4. *математика*
5. *английский язык*
6. *французская история*
7. *биология*
8. *американская литература*
9. *французский язык*
10. *русская литература*

12. Match the printed words to their cursive counterparts. There is one extra word. Then circle the word that would be a good title for the entire list.

_____ гитари́ст

_____ музыка́нты

_____ пиани́ст

_____ саксофони́ст

_____ органи́ст

1. *саксофонист*
2. *органист*
3. *гитарист*
4. *музыканты*
5. *музыкант*
6. *пианист*

Имя и фамилия: ______________________________ *Число:* ______________________

13. Match the printed names to their cursive counterparts. What do you know about the people listed?

_____ Страви́нский	1. Мусоргский
_____ Чайко́вский	2. Стравинский
_____ Му́соргский	3. Римский - Корсаков
_____ Шостако́вич	4. Чайковский
_____ Ри́мский-Ко́рсаков	5. Шостакович
_____ Гли́нка	6. Глинка

14. Match the printed words to their cursive counterparts. Then circle the word that does not fit with the others.

_____ хокке́й	1. регби
_____ бейсбо́л	2. гимнастика
_____ футбо́л	3. волейбол
_____ фильм	4. теннис
_____ гольф	5. фильм
_____ баскетбо́л	6. хоккей
_____ волейбо́л	7. бокс
_____ гимна́стика	8. бейсбол
_____ бокс	9. баскетбол
_____ те́ннис	10. футбол
_____ ре́гби	11. гольф

15. Write one line of each capital and lower case letter.

А а

Б б

В в

Г г

Д д

Е е

Ё ё

Ж ж

З з

И и

Й й

К к

Л л

М м

Имя и фамилия: ______________________________ *Число:* ______________

Н н ______________________________

____

О о ______________________________

____

П п ______________________________

____

Р р ______________________________

____

С с ______________________________

____

Т т ______________________________

____

У у ______________________________

____

Ф ф ______________________________

____

Х х ______________________________

____

Ц ц ______________________________

____

Ч ч ______________________________

____

Ш ш ______________________________

____

Щ щ ______________________________

____

ъ ______________________________

ы ______________________________

ь ______________________________

Э э

Ю ю

Я я

16. Copy the following state names in cursive. Pay special attention to the way the letters are connected to each other. Then check the states you have visited.

Айдахо

Пенсильвания

Мэн

Вермонт

Аризона

Флорида

Джорджия

Огайо

Техас

Алабама

Калифорния

Арканзас

Кентукки

Юта

Мичиган

Вашингтон

17. Copy the following city names in cursive. Then check the U.S. cities. Put a star next to the cities you have visited.

Кишинёв ______________________

Гамбург ______________________

Нью-Йорк ______________________

Чикаго ______________________

Бразилия ______________________

Литл-Рок ______________________

Уичита ______________________

Цинциннати ______________________

Сент-Луис ______________________

Ялта ______________________

18. Write your name in cursive in Russian.

____

19. Write in cursive the Russian name of each item under the correct picture. Use the words in the box.

бана́н	дива́н	зе́бра	компью́тер
леопа́рд	лимо́н	пиани́но	ра́дио
рюкза́к	саксофо́н	гита́ра	стул
телеви́зор	тигр		

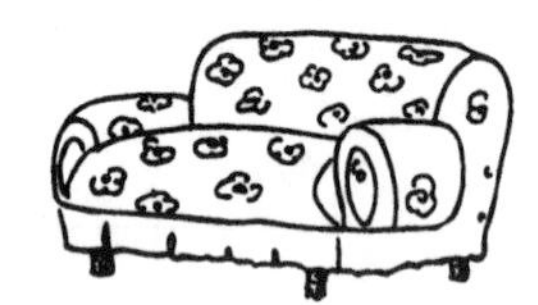

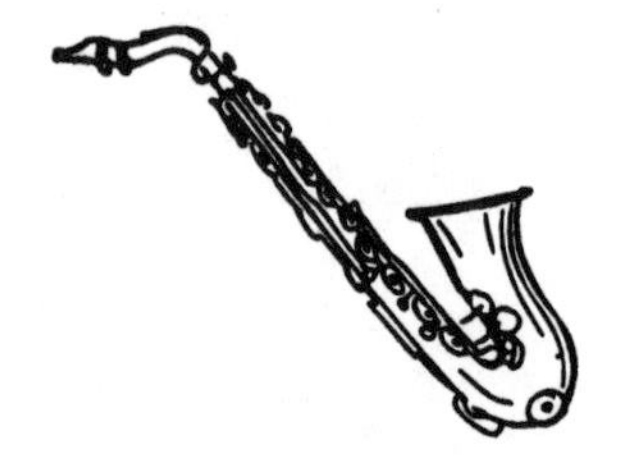

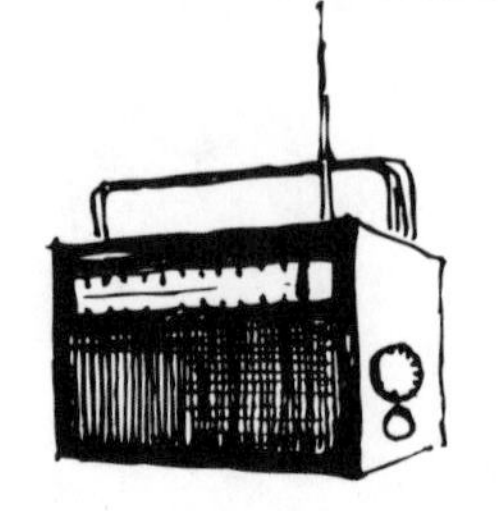

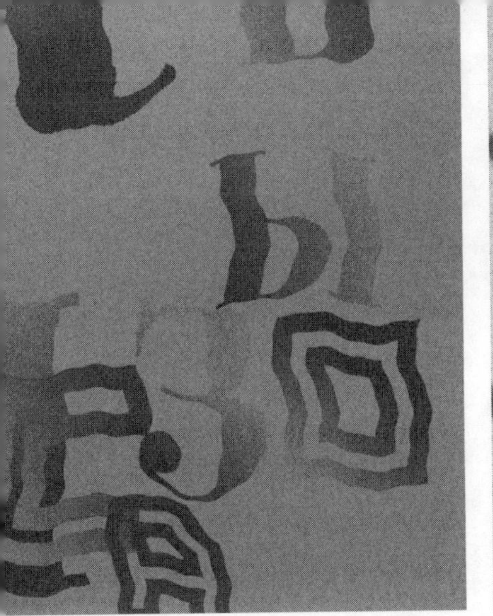

Немного о себе

Числительные

A. Listen to the tape while looking at the script below.

0	ноль	6	шесть	5	пять	10	де́сять
1	оди́н	7	семь	4	четы́ре	9	де́вять
2	два	8	во́семь	3	три	8	во́семь
3	три	9	де́вять	2	два	7	семь
4	четы́ре	10	де́сять	1	оди́н	6	шесть
5	пять			0	ноль		

Б. Listen to the tape and write down the numbers you hear (in figures, not in words!). Proceed vertically in each column.

а	б	в
________	________	________
________	________	________
________	________	________
________	________	________
________	________	________
________	________	________
________	________	________

В. Listen to the tape and cross out the numbers you hear.

а. 1 2 3 4 5 6 7 8 9 10

б. 1 2 3 4 5 6 7 8 9 10

Г. Listen to the tape while looking at the script below.

1000	ты́сяча
2000	две ты́сячи
3000	три ты́сячи
4000	четы́ре ты́сячи
5000	пять ты́сяч
6000	шесть ты́сяч
7000	семь ты́сяч
8000	во́семь ты́сяч
9000	де́вять ты́сяч
10,000	де́сять ты́сяч

МЕЖДУ ПРОЧИМ

Тысяча

Why are you learning such big numbers so early? The collapse of the Soviet Union was accompanied by several years of inflation. Prices for everyday goods soared into the thousands of rubles. In the late 1990s the Russian government began a program of currency reform. For the latest information on prices see the **Голоса** web site at http://www.gwu.edu/~slavic/golosa.htm.

Decimals and Commas

Russia is no different from the rest of Europe when it comes to the use of commas and decimal points in numbers, but it's the reverse of the American style:

In the United States		**In Russia**
10.0	ten	10,0
10,000	ten thousand	10.000

Имя и фамилия: ______________________ *Число:* ______________

Д. Listen to the tape and write down the numbers you hear in thousands. Proceed vertically in each column.

________	________
________	________
________	________
________	________
________	________
________	________
________	________

Фонетика и интонация

The Russian Intonation System—Pronouncing Russian Sentences

The phonetic system of a language consists not only of the individual sounds that make up words, but also of the rises and falls in pitch that accompany sentence structure. As you imitate your teacher and the models on tape, try to reproduce not only the sounds you hear, but also the intonation (melody) of the sentences. From the very beginning, you will be hearing and imitating all kinds of intonation contours. This unit focuses special attention on the intonation of statements.

Intonation Contour 1 (IC–1)—Intonation of Statements

In Russian statements, the pitch drops sharply, often on the last word. English listeners not used to this intonation pattern may think the speaker is disgruntled. But this intonation is perfectly neutral in Russian, and you should imitate it from the very beginning of your study.

Меня́ зову́т Джон. Я студе́нт. Я живу́ в Нью-Йо́рке.

А. Listen to the tape contrasting the falling intonation of the following Russian statements with the rising intonation of their English counterparts.

English	Russian
My name is John. I'm a student.	Меня́ зову́т Джон. Я студе́нт.
I am an American.	Я америка́нец.
My name is Mary. I'm a student. I am Canadian.	Меня́ зову́т Мэ́ри. Я студе́нтка. Я кана́дка.
My last name is Smith. I live in Washington. I go to college.	Моя́ фами́лия Смит. Я живу́ в Вашингто́не. Я учу́сь в университе́те.
It's very nice to meet you.	Очень прия́тно познако́миться.
Me too.	Мне то́же.

Б. Repeat the sentences on the tape, imitating the intonation as closely as you can.

Men	Women
Я студе́нт.	Я студе́нтка.
Я америка́нец.	Я америка́нка.
Я живу́ в Аме́рике.	Я живу́ в Аме́рике.
Я учу́сь в университе́те.	Я учу́сь в университе́те.

Имя и фамилия: ________________________ *Число:* ________________

Vowel Reduction

В. Review the rules for pronouncing the letter **о** in unstressed syllables. Then repeat the following words on tape, imitating their pronunciation as closely as you can.

unstressed **о** → pronounced [a] or [ə]

1. зову́т
2. до свида́ния
3. познако́миться
4. прости́те
5. Москва́
6. прия́тно
7. о́тчество
8. у́тро

Г. Review the rules for pronouncing the letter **е** in unstressed syllables. Then repeat the following words, imitating their pronunciation as closely as you can.

unstressed **е** → pronounced [ɪ]

1. америка́нец
2. америка́нка
3. о́тчество
4. о́чень
5. меня́

Устные упражнения

To do these exercises follow the examples on the tape. Compare your answer with the correct response. Do each exercise several times. You will know you have active control of the forms when you can supply the correct answers without hesitation.

Oral Drill 1 (Greetings) Say hello to the following people the first time you meet them during the day. Use **Здра́вствуйте!** or **Здра́вствуй!**

Образе́ц:

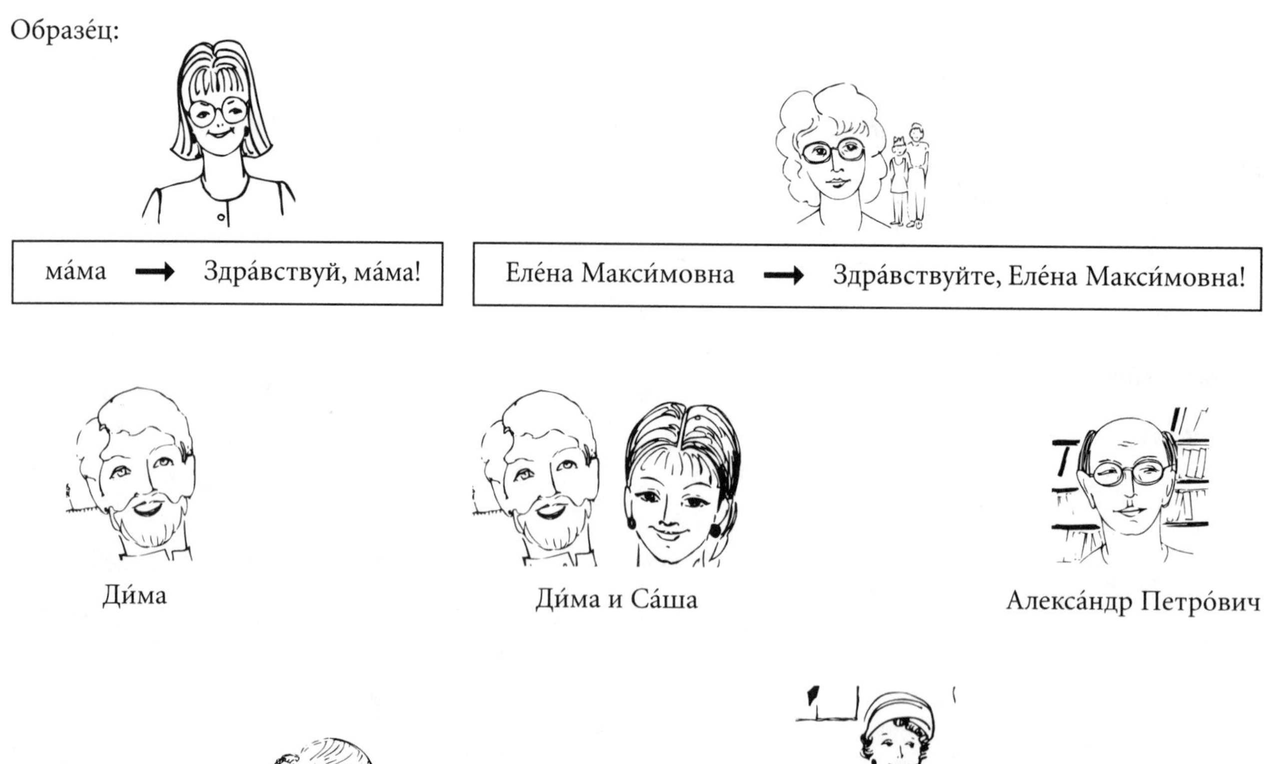

Та́ня

Ната́лья Петро́вна

Oral Drill 2 (Greetings) How would you greet someone at the times shown? Proceed vertically.

Образéц:

Дóброе ýтро!

Дóбрый вéчер!

а.

б.

в.

г.

д.

е.

ж.

з.

Oral Drill 3 (1.3 Nationality and gender—америка́нец vs. **америка́нка.)** Say that the following people are Americans.

Джон → Джон — америка́нец.

Мэ́ри	Ма́рвин
Джим	Кэ́трин
Ли́нда	Джейн
Кэ́рол	Мэ́тью
Эван	Ке́вин

Oral Drill 4 (1.3 Nationality and gender—кана́дец vs. **кана́дка)** Say that the following people are Canadians.

Са́ра → Са́ра — кана́дка.

Джон, Кэн, Кэ́рол, Энн, Фред

Oral Drill 5 (1.3 Students and gender—студе́нт vs. **студе́нтка)** Practice asking the following people whether they are students.

Hint: This drill also gives you a chance to learn some common Russian first names. Put a check mark next to the men's names.

Ната́ша → Ната́ша, ты студе́нтка?

Алекса́ндр	Ка́тя
Серёжа	Та́ня
Бо́ря	Ва́ня
Ве́ра	Анато́лий
Никола́й	Оля

Имя и фамилия: ______________________ *Число:* ______________

Oral Drill 6 (1.6 в + prepositional case to indicate location) Say where the following people are.

Аня (институ́т) ➞ Аня в институ́те.

Анто́н (музе́й)

Мэ́ри (парк)

Анна Васи́льевна (рестора́н)

Ла́врик (шко́ла)

Бори́с Петро́вич (теа́тр)

Са́ша (университе́т)

Oral Drill 7 (1.6 в + prepositional case to indicate location) How would the inhabitants of these places say where they live?

Москва́ ➞ Я живу́ в Москве́.

Санкт-Петербу́рг

Омск

Ирку́тск

Но́вгород

Волгогра́д

Арме́ния

Хаба́ровск

Новосиби́рск

Росси́я

Ла́твия

Вашингто́н

Нью-Йо́рк

Бо́стон

Лос-Анджелес

Сиэ́тл

Сент-Лу́ис

Нева́да

Вирги́ния

Калифо́рния

Oral Drill 8 (1.6 в + prepositional case to indicate location) How would students who go to universities in these cities say where they study?

Где вы у́читесь? (Москва́) ⟶ Я учу́сь в Москве́.

Санкт-Петербу́рг

Воро́неж

Екатеринбу́рг

Пятиго́рск

Новоросси́йск

Смоле́нск

Новосиби́рск

Вашингто́н

Нью-Йо́рк

Бо́стон

Лос-Анджелес

Сиэ́тл

Сент-Лу́ис

По́ртленд

Oral Drill 9 (1.6 в + prepositional case to indicate location) How would students at these institutions say where they go to school?

Где вы у́читесь? (университе́т) ⟶ Я учу́сь в университе́те.

институ́т, шко́ла, университе́т

Oral Drill 10 Listen to the dialog and fill in the missing words.

— Здра́вствуй! Я но́вый ____________________ .

— Очень ____________________ . Джон.

— Ви́ктор. __________ не америка́нец?

— ____________________ . _______________ в Блу́мингтоне, в штáте Индиа́на.

— Недалеко́ от Чика́го, да? А где ты у́чишься?

— Я ____________________ как раз в Чика́го.

— Вот как! Ну, ____________________ ____________________ с тобо́й познако́миться.

— Мне то́же.

Имя и фамилия: ______________________ *Число:* ______________

6. Визовая анкета. Review the application on page 29 in the textbook. Then fill out the form below with your information. Remember, non-Russians do not have an **отчество.**

Страна ______________ Консульство Российской Федерации в США

ВИЗОВАЯ АНКЕТА

Национальность ______________________________

Гражданство ______________________________

Фамилия ______________________________

Имя, отчество ______________________________

Дата и место рождения ______________________________

Цель поездки ______________________________

Маршрут следования ______________________________

Дата въезда ______________ Дата выезда ______________

Профессия ______________________________

Место работы ______________________________

Паспорт № ______________________________

Дата ______________

Личная подпись ______________

7. О себе. Fill in the blanks with the correct forms of the appropriate words.

____________________! ________________ __________________.
Hello! My name is (your name)

_______ _____________________.
I am (your nationality)

____________ ___ ____________________.
I live in (your country)

____________ ___ _____________________.
I study in a university

______________________ ____ __________________.
The university is in (name of the state)

8. Вопросы. The questions in this dialog have been lost. Restore them.

____

— Меня зовут Ольга.

____

— Смирнова.

____

— В Москве.

____

— Да, я студентка.

____

— Я учусь в университете.

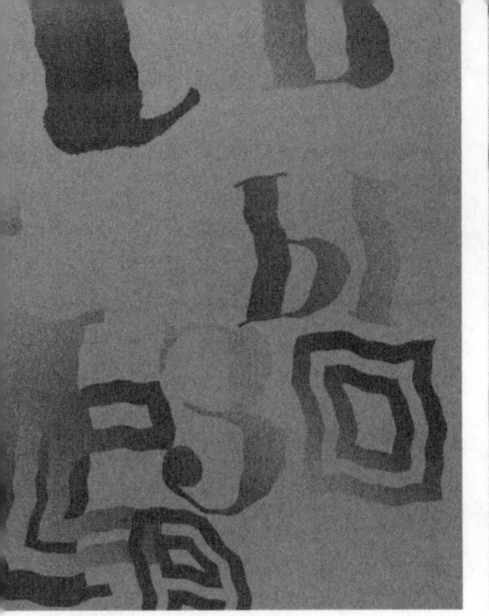

Что у меня есть?

Числительные

A. You already know numbers 0–10. You will now learn to recognize numbers 11–20 and 100–900. Listen to the tape and look at the numbers below.

11	оди́ннадцать	16	шестна́дцать
12	двена́дцать	17	семна́дцать
13	трина́дцать	18	восемна́дцать
14	четы́рнадцать	19	девятна́дцать
15	пятна́дцать	20	два́дцать

ОДИН + НА + ДЦАТЬ
(де́сять)

Б. Listen to the tape and write down the numbers you hear (in figures, not in words!). Proceed vertically in each column.

а	б	в
____	____	____
____	____	____
____	____	____
____	____	____
____	____	____
____	____	____
____	____	____
____	____	____
____	____	____
____	____	____

В. Now listen to numbers 100–900.

100	сто	600	шестьсо́т
200	две́сти	700	семьсо́т
300	три́ста	800	восемьсо́т
400	четы́реста	900	девятьсо́т
500	пятьсо́т	1000	ты́сяча

Имя и фамилия: ______________________ *Число:* ______________

Г. Now write down the hundreds numbers.

а	б
________	________
________	________
________	________
________	________
________	________
________	________
________	________
________	________

Д. Phone numbers in large cities have seven digits as in North America. However, most Russians read phone numbers not individually, but in groups of hundreds, tens, and tens, e.g., two hundred forty-three, fifty-six, seventeen. Jot down the following phone numbers.

Ди́ма __ __ __ - __ __-__ __	Со́ня __ __ __ - __ __-__ __	Аня __ __ __ - __ __-__ __
Ка́тя __ __ __ - __ __-__ __	Ко́ля __ __ __ - __ __-__ __	Ира __ __ __ - __ __-__ __
Та́ня __ __ __ - __ __-__ __	Са́ша __ __ __ - __ __-__ __	Да́ша __ __ __ - __ __-__ __
Ва́ня __ __ __ - __ __-__ __	Бо́ря __ __ __ - __ __-__ __	Ми́ша __ __ __ - __ __-__ __

Е. After arriving in Russia, you discover that the airline lost your bags. You have to replace everything you had. Listen to the cost of each item on tape and jot down the price. Note that where we write commas, Russians use a period. So **две тысячи сто** is written **2.100**.

а. Ско́лько сто́ит а́нгло-ру́сский слова́рь? ______________ рубле́й.

б. Ско́лько сто́ят де́сять ко́мпакт-ди́сков? ______________ рубле́й.

в. Ско́лько сто́ит па́ра джи́нсов? ______________ рубле́й.

г. Ско́лько сто́ит кассе́тный магнитофо́н? ______________ рубле́й.

д. Ско́лько сто́ят но́вые ту́фли? ______________ рубле́й.

е. Ско́лько сто́ит зи́мнее пальто́? ______________ рубле́й.

ж. Ско́лько сто́ит биле́т Москва́–Вашингто́н? ______________ рубле́й

з. Ско́лько сто́ит фотоаппара́т? ______________ рубле́й.

и. Ско́лько сто́ит лапто́п? ______________ рубле́й.

Ж. Listen to the following street addresses and fill in the blanks. Sometimes house numbers consist of digits alone, sometimes of digits plus a letter.

а. у́лица Плеха́нова, дом _________, кварти́ра ___________.

б. Не́вский проспе́кт, дом _________, кварти́ра _________.

в. пло́щадь Револю́ции, дом _________, кварти́ра _________.

г. Светла́новский проспе́кт, дом _________, кварти́ра _________.

д. у́лица Ле́рмонтова, дом _________, кварти́ра _________.

е. у́лица Ле́нина, дом _________, кварти́ра _________.

ж. Каменноостро́вский проспе́кт, дом _________, кварти́ра _________.

з. Мосфи́льмовская у́лица, дом _________, кварти́ра _________.

и. пло́щадь Побе́ды, дом _________, кварти́ра _________

к. Центра́льная пло́щадь, дом _________, кварти́ра _________.

Фонетика и интонация

Questions with a Question Word

Intonation contour 2 (IC–2): In Russian questions with a question word, the intonation falls sharply on the word being asked about. The heavy intonation fall may sound brusque to you.

Чей э́то чемода́н? Где пода́рки? Како́й сюрпри́з?

The intonation for simple declarative sentences (IC–1) sounds less brusque.

Это мой чемода́н. Пода́рки здесь.

Имя и фамилия: ______________________ *Число:* ______________

А. Listen to the conversation below. Indicate whether you hear IC–1 or IC–2. Underline the word emphasized.

1. а. (IC–___) — Где ва́ша ви́за?
   б. (IC–___) — Вот она́.
2. а. (IC–___) — Чей э́то чемода́н?
   б. (IC–___) — Это мой чемода́н.
   в. (IC–___) Это то́же мой чемода́н.
3. а. (IC–___) — Что у вас там?
   б. (IC–___) — Это видеомагнитофо́н.
   в. (IC–___) А э́то мои́ видеокассе́ты.
   г. (IC–___) — Что на видеокассе́тах?
   д. (IC–___) — Но́вые америка́нские фи́льмы.

Б. Repeat the questions on tape, imitating the intonation as closely as you can. Repeat the exercise until you are pleased with the results. Do not be afraid of sounding "rude." IC–2 may sound brusque to English speakers, but Russians perceive it as normal.

1. Как вас зову́т?
2. Как ва́ше и́мя-о́тчество?
3. Как ва́ша фами́лия?
4. Где вы живёте?
5. Где па́спорт и ви́за?
6. Где ва́ши чемода́ны?
7. Каки́е у вас кни́ги?
8. Кто э́то?

В. Review the rules for pronouncing the letter **o** in unstressed syllables. Then repeat the words on the tape. Imitate their pronunciation as closely as you can.

unstressed **o** ⟶ pronounced [a] or [ə].

1. оде́жда
2. докуме́нты
3. пода́рок
4. чемода́н
5. большо́й
6. то́лько
7. молоде́ц
8. спаси́бо
9. пожа́луйста
10. хорошо́

Г. Review the rules for pronouncing the letter **е** in unstressed syllables. Then repeat the words on tape imitating their pronunciation as closely as you can.

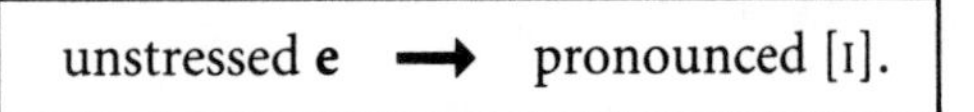

1. деклара́ция
2. чемода́н
3. ма́ленький
4. америка́нский
5. телеви́зор

Устные упражнения

Oral Drill 1 (2.2 Plural nouns) Make these nouns plural.

Это кни́га. → Это кни́ги.

чемода́н, докуме́нт, кассе́та, магнитофо́н, деклара́ция, университе́т, пла́тье, газе́та, пода́рок, студе́нт, слова́рь, ра́дио

Oral Drill 2 (2.3 Personal pronouns) Answer the questions. Follow the model.

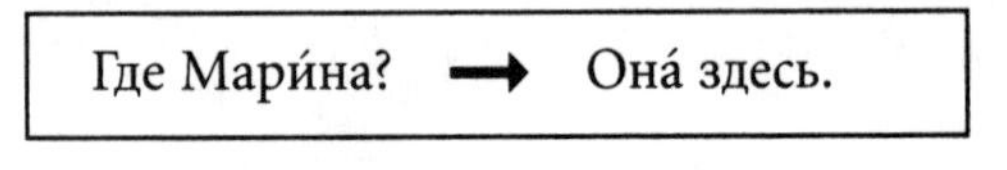

Где Вале́ра?
Где ма́ма?
Где студе́нт?
Где студе́нты?
Где кана́дка?
Где Ли́нда?
Где па́па?
Где студе́нтка?
Где америка́нцы?
Где президе́нт?

Имя и фамилия: ______________________ *Число:* ______________

Oral Drill 3 (2.3 Personal pronouns) Answer the questions. Follow the model.

Где ви́за? ⟶ Ви́за? Вот она́.

Где докуме́нты?

Где па́спорт?

Где джи́нсы?

Где кни́га?

Где ра́дио?

Где маши́на?

Где слова́рь?

Где деклара́ция?

Где чемода́н?

Где фотоаппара́т?

Где пла́тье?

Где магнитофо́н?

Где пальто́?

Где за́пись?

Oral Drill 4 (2.4 Possessive pronouns) Respond that the following things are yours.

Чей э́то чемода́н? ⟶ Мой.

Чья э́то ви́за?

Чей э́то па́спорт?

Чья э́то кни́га?

Чьё э́то ра́дио?

Чья э́то кассе́та?

Чей э́то слова́рь?

Чья э́то оде́жда?

Чьё э́то пла́тье?

Чьи э́то докуме́нты?

Чей э́то магнитофо́н?

Чья э́то деклара́ция?

Чья э́то за́пись?

Oral Drill 5 (2.4 Possessive pronouns) Respond yes to the following questions.

Это твоя́ кассе́та? ⟶ Да, моя́.

Это ваш па́спорт?

Это его́ магнитофо́н?

Это её журна́л?

Это твоя́ газе́та?

Это их докуме́нты?

Это ва́ша маши́на?

Это её пла́тье?

Oral Drill 6 (2.2 and 2.4 Plural nouns and possessive pronouns) In order to practice more plural forms, restate these sentences in the plural.

Это мой чемода́н. ⟶ Это мои́ чемода́ны.

моя́ кассе́та

твоя́ кни́га

мой журна́л

твой слова́рь

моя́ ма́йка

твоё пла́тье

наш фотоаппара́т

ваш магнитофо́н

на́ша газе́та

ва́ша студе́нтка

наш университе́т

ва́ше пла́тье

Oral Drill 7 (2.3–2.4 Personal and possessive pronouns) Respond to the following questions as in the model. You have to think about the meaning of the possessive words!

Где мой па́спорт? ⟶ Ваш па́спорт? Вот он.

Где их магнитофо́н?

Где мои́ джи́нсы?

Где моя́ ма́йка?

Где его́ докуме́нты?

Где наш профе́ссор?

Где твой пода́рок?

Где ва́ши докуме́нты?

Где моё пла́тье?

Где её компью́тер?

Имя и фамилия: ______________________________ *Число:* ______________

Oral Drill 8 (2.4 чей) Ask to whom these items belong.

Вот докумéнты. ➞ Чьи э́то докумéнты?

Вот магнитофóн.

Вот кни́га.

Вот пáспорт.

Вот рáдио.

Вот маши́на.

Вот кассéты.

Oral Drill 9 (2.4 чей) Look at the pictures and ask to whom the items belong. Listen to the tape to check your answers. Proceed horizontally.

Чья э́то кни́га?

а. 

б. 

в. 

г. 

д. 

е. 

Oral Drill 10 (2.5 Adjectives) Ask for information about the following items.

маши́на ➞ Какáя у вас маши́на?

фотоаппарáт, кассéты, рáдио, подáрок, чемодáн, дом, газéта

Oral Drill 11 (2.5 Adjectives) Indicate that the following items are new.

Какáя у вас кни́га? ➞ Нóвая.

Какáя у тебя́ маши́на?

Каки́е у тебя́ кассéты?

Какóй у тебя́ фотоаппарáт?

Какóе у вас рáдио?

Каки́е у вас кни́ги?

Какáя у вас одéжда?

Oral Drill 12 (2.5 Adjectives) Say the opposite of everything the questioner asks.

У тебя́ большáя маши́на? ➞ Нет, мáленькая.

У тебя́ нóвое плáтье?

У тебя́ хорóший видеомагнитофóн?

У тебя́ хорóшая маши́на?

У тебя́ нóвый кассéтник?

У тебя́ интерéсный журнáл?

У тебя́ мáленький кассéтник?

У тебя́ краси́вая маши́на?

У тебя́ плохóе рáдио?

У тебя́ стáрый чемодáн?

Имя и фамилия: ______________________________ *Число:* ______________

8. (2.5 Adjectives—Personalized) Begin an inventory of your personal belongings in Russian by listing 10 things you own. Put an adjective with each noun. Do not use numbers.

______________________ ______________________

______________________ ______________________

______________________ ______________________

______________________ ______________________

______________________ ______________________

9. (2.2, 2.4, 2.5 Plurals) Make the following phrases plural. Circle each ending that is affected by the 7-letter spelling rule.

а. мой новый фотоаппарат ______________________

б. твоя интересная книга ______________________

в. его большая машина ______________________

г. её красивое платье ______________________

д. наш американский документ ______________________

е. ваш хороший кассетник ______________________

ж. их русский журнал ______________________

з. твоя новая блузка ______________________

и. его американская кассета ______________________

к. ваш красивый галстук ______________________

10. (2.5 Adjectives and nouns) The speakers were at a big party and their voices were drowned out by the noise. Help restore the transcripts of their conversations by completing the sentences with the most logical nouns.

а. — Дженнифер, у тебя «Кодак», да? Это хороший ______________?

— Очень хороший. Смотри, какая ______________ фотография!

б. — Боря, у тебя «Шарп»? Это новый ______________?

— Да, новый. А вот новые, американские ______________.

в. — Мэри, у тебя есть англо-русский ______________?

— Нет. Есть только русско-английский.

г. — Коля! Что это у тебя? «Ай Би Эм»? Это хороший ______________?

— Очень хороший.

11. (2.4 and 2.6 чей, какой, что) Fill in the blanks with the appropriate question word in the correct form.

а. What book is this? ______________________ это книга?

б. Whose book is that? ______________________ это книга?

в. What cassettes do you have? ______________________ у вас кассеты?

г. Whose cassettes do you have? ______________________ у вас кассеты?

д. What do you have there? ______________________ тут у вас?

е. What is that? ______________________ это?

ж. What documents are those? ______________________ это документы?

з. Whose documents are those? ______________________ это документы?.

12. (12.8 Indicating having) Write five questions you might ask to find out what electronic equipment a visiting Russian owns.

а. ____

б. ____

в. ____

г. ____

д. ____

13. (Pulling it together—Personalized) Answer five of the following questions truthfully, but keeping within the confines of the Russian you know.

а. У вас есть компьютер? Какой?

б. У вас есть машина? Какая?

в. Ваше радио новое?

г. У вас есть кассетник? Он новый? Он хороший?

д. Какие у вас книги?

е. У вас есть словарь? Какой?

ж. Ваш чемодан большой?

з. Ваш университет маленький?

и. Ваши курсы интересные?

____

____

____

____

____

14. (Pulling it all together) Fill in the blanks.

— Так. Значит, это ______________ ______________?
your suitcase

— Да, ______________.
mine

— А ______________ ______________? ______________
the big suitcases Are they

тоже ______________?
yours

— Нет. Только ______________ ______________
the small suitcase

______________.
is mine

— ______________ ______________?
Do you have a tape recorder

— Да, ______________.
here it is

Какие языки вы знаете?

Числительные

A. Listen to the tape and look at the script below for the numbers 21–30.

21 = два́дцать + оди́н **30 = три + дцать (де́сять)**

21 два́дцать оди́н	26 два́дцать шесть
22 два́дцать два	27 два́дцать семь
23 два́дцать три	28 два́дцать во́семь
24 два́дцать четы́ре	29 два́дцать де́вять
25 два́дцать пять	30 три́дцать

Б. Now write down the numbers (in figures, not in words) as you hear them.

а	б
________	________
________	________
________	________
________	________
________	________
________	________
________	________
________	________
________	________

В. Jot down the following telephone numbers for the city of Novgorod. You can expect to hear six digit numbers paired in two's, e.g., 21-18-16: **двáдцать оди́н - восемнáдцать - шестнáдцать.**

Кáтя	________	Вади́м	________
Яша	________	Лóра	________
Тáня	________	Макси́м	________
Ди́ма	________	Лéна	________
Жáнна	________	Вáня	________
Ми́ша	________	Аля	________

Фонетика и интонация

Yes–No Questions

Intonation Contour 3 (IC–3)

Think of how would you ask the following questions in English.

Is that your book? (a book?) Is that your book? (yours?)

You can imagine that your intonation rises steadily on the word in question.

In Russian yes–no questions, the intonation also rises on the word in question, but it rises sharply (one full musical octave!) and then falls abruptly. This intonation contour is called IC–3.

Это ва́ша кни́га? **Это ва́ша кни́га?**

Remember that in Russian questions with question words, the question word is pronounced with a falling intonation (IC–2), whereas in yes–no questions, the intonation rises sharply on the word that is being questioned and then falls abruptly.

Чья э́то кни́га?

A. Listen to the questions below. Determine whether you hear IC–2 or IC–3. When you hear an IC–3 intonation, underline the word(s) emphasized.

1. (IC– ____) Где ва́ша ви́за?
2. (IC – ____) У вас есть ви́за?
3. (IC – ____) Чей э́то чемода́н?
4. (IC – ____) Это ваш чемода́н?
5. (IC – ____) Фотоаппара́т есть?
6. (IC – ____) Что э́то?
7. (IC – ____) Како́й?
8. (IC – ____) Каки́е у вас кассе́ты?
9. (IC – ____) Что в чемода́не?
10. (IC – ____) Но́вая кассе́та Стинг есть?

Б. Now repeat the preceding questions on tape, imitating the intonation as closely as you can.

В. Review the rules for pronouncing unstressed **я** and **е**. Listen to the tape and imitate the pronunciation of these words as closely as you can.

unstressed **я** → [ɪ]	unstressed **е** → [ɪ]
францу́зский язы́к	неме́цкий язы́к
каки́е языки́	непло́хо
по-япо́нски	немно́го
	ме́дленно

Имя и фамилия: ______________________ *Число:* ______________

Устные упражнения

Oral Drill 1 (3.2 знать) Practice conjugating the verb **знать** by saying that the people listed know a little Russian.

> Мы немно́го зна́ем ру́сский язы́к.
> он → Он немно́го зна́ет ру́сский язы́к.

я, вы, ты, мы, я, она́, они́

Oral Drill 2 (3.2 чита́ть) Practice conjugating this verb by saying that the people listed read Chinese.

> Мой друг чита́ет по-кита́йски.
> Ка́тя → Ка́тя чита́ет по-кита́йски.

па́па, мы, я, друзья́ (*friends*), студе́нт, ты, он, вы

Oral Drill 3 (3.2 понима́ть) Practice conjugating the verb **понима́ть** by saying that the people listed understand Russian.

> Мы понима́ем по-ру́сски.
> он → Он понима́ет по-ру́сски.

ма́ма, я, мы, роди́тели, студе́нты, ты, она́, вы

Oral Drill 4 (3.2 изуча́ть) Practice conjugating the verb **изуча́ть** by saying that the people listed study French.

> Вы изуча́ете францу́зский язы́к.
> Бори́с → Бори́с изуча́ет францу́зский язы́к.

ты, они́, Анна, мы, я, вы

Oral Drill 5 (3.2 жить) Practice conjugating the verb **жить** by saying that the people listed live in Moscow.

Кто живёт в Москве́?
Я ➞ Я живу́ в Москве́.

Ле́на, её роди́тели, ты, на́ши друзья́, на́ша семья́, он, мы, вы, я, кто

Oral Drill 6 (3.2 писа́ть) Practice conjugating the verb **писа́ть** by asking if the people listed write Russian.

Кто пи́шет по-ру́сски?
Вы ➞ Вы пи́шете по-ру́сски?

ва́ша сестра́, Даньéл, ты, америка́нские студе́нты, вы, он, они́, ты, она́, Джим Бра́ун, Джим и Ли́нда

Oral Drill 7 (3.3 говори́ть) Practice conjugating the verb **говори́ть** by asking if the people listed speak Russian.

Кто говори́т по-ру́сски?
Вы ➞ Вы говори́те по-ру́сски?

ва́ша сестра́ (*sister*), Даньéл, ты, америка́нские студе́нты, вы, он, они́, ты, она́, Джим Бра́ун,

Джим и Ли́нда

Oral Drill 8 (3.3 and 3.4 говори́ть + adverbs) Tell how well the people listed speak Russian.

Я—хорошо́ ➞ Я хорошо́ говорю́ по-ру́сски.

Ке́лли — пло́хо

ты — непло́хо

я — дово́льно хорошо́

мы — немно́жко

Ли — дово́льно хорошо́

Фред — свобо́дно

вы — о́чень хорошо́

Имя и фамилия: ______________________ *Число:* ______________

Oral Drill 9 (3.5 говори́ть + по-...ски) Ask who speaks these languages.

Кто говори́т по-англи́йски?		
по-ру́сски	→	Кто говори́т по-ру́сски?

по-францу́зски

по-италья́нски

по-испа́нски

по-неме́цки

по-кита́йски

по-япо́нски

по-ара́бски

Oral Drill 10 (3.5 знать...-ский язы́к) Anya is multilingual. Answer *yes* to the following questions.

Аня зна́ет ру́сский язы́к?	→	Да, она́ зна́ет ру́сский язы́к.

Аня зна́ет испа́нский язы́к?

Аня зна́ет италья́нский язы́к?

Аня зна́ет ара́бский язы́к?

Аня зна́ет япо́нский язы́к?

Аня зна́ет неме́цкий язы́к?

Аня зна́ет кита́йский язы́к?

Oral Drill 11 (3.5 языки́) Practice the structure used to say "speaks *x* language" by telling what languages the following people speak.

Джон — английский язы́к ➞ Джон говори́т по-англи́йски.

Мэ́ри — францу́зский язы́к

Хуа́н — испа́нский язы́к

Ли — кита́йский язы́к

Пе́тя — ру́сский язы́к

Рахма́н — ара́бский язы́к

То́ши — япо́нский язы́к

я — ру́сский язы́к

мы — ру́сский язы́к

ты — ру́сский язы́к

Oral Drill 12 (3.5 языки́) Practice the form of languages used after the verb **знать** by indicating whether you know the following languages. (The speaker on the tape gives positive responses.)

Вы говори́те по-испа́нски?	➞	Да, я зна́ю испа́нский язы́к.
	or	Нет, я не зна́ю испа́нский язы́к.

Вы говори́те по-италья́нски?

Вы понима́ете по-неме́цки?

Вы пи́шете по-францу́зски?

Вы понима́ете по-ара́бски?

Вы говори́те по-кита́йски?

Вы понима́ете по-япо́нски?

Oral Drill 13 (3.5 языки́) Practice the form of languages used after the various verbs.

изуча́ю	➞	Я изуча́ю ру́сский язы́к.
говорю́	➞	Я говорю́ по-ру́сски.

зна́ю, чита́ю, понима́ю, пишу́, говорю́, зна́ю, изуча́ю

Имя и фамилия: ______________________ *Число:* ______________

Oral Drill 14 (3.5 языки́) Practice asking questions to find out what languages someone knows.

говори́ть ⟶ На каки́х языка́х вы говори́те?

изуча́ть, говори́ть, чита́ть, знать

Oral Drill 15 (3.6 национа́льность) Guess the following people's nationalities based on where they live.

Алёша живёт в Росси́и. ⟶ Зна́чит, он ру́сский? Джа́нет и Пи́тер живу́т в Англии. ⟶ Зна́чит, они́ англича́не?

Ха́нна живёт в Аме́рике.

На́дя и Вале́ра живу́т в Росси́и.

Джон живёт в Кана́де.

Мы живём в Украи́не.

Мари́я живёт в Испа́нии.

Майкл и Дже́ссика живу́т в Кана́де.

Джейн живёт в Англии.

Ник живёт в Аме́рике.

Кари́не живёт в Арме́нии.

Ва́дик и Оля живу́т в Росси́и.

Oral Drill 16 (3.7 в + prepositional case) Tell where the following people live.

Пéтя — Москвá ➞ Пéтя живёт в Москвé.

Жéня — Москвá

Сóня — Тбили́си

Жан — Фрáнция

Илья́ — Санкт-Петербу́рг

Дéйвид — Нью-Йóрк

Сáша — Росси́я

Кéвин — Нóвая Англия

Oral Drill 17 (3.7 в + prepositional case) Ask who lives in the following places.

большóе общежи́тие ➞ Кто живёт в большóм общежи́тии?

нóвый дом

большóй дом

хорóшее общежи́тие

стáрое общежи́тие

нóвое общежи́тие

нóвая кварти́ра

больша́я кварти́ра

стáрый дом

хорóшая кварти́ра

большóе общежи́тие

Oral Drill 18 (3.7 в + prepositional case) In order to practice the prepositional case, claim to be a student at all the following places.

нóвая шкóла ➞ Я учу́сь в нóвой шкóле.

хорóшая шкóла

большóй университéт

мáленький университéт

мáленькая шкóла

стáрый университéт

больша́я шкóла

Имя и фамилия: ______________________________ *Число:* ____________________

Письменные упражнения

1. (3.2 знать) Write in the needed form of the verb **знать.**

а. — Миша и Маша ______________ французский язык?

— Миша ____________ французский язык, а Маша ______________ немецкий.

б. — Кто ________________ русский язык? —Я его ________________.

в. — Анна Петровна, вы __________________________ английский язык?

г. Мы не _____________ китайский язык, но Боря его _______________.

д. Ты ______________________ японский язык?

2. (3.2 читать) Write in the correct form of the verb **читать.**

а. — На каких языках ____________________ Андрей?

— Он ____________ по-русски и по-итальянски.

б. — Ты _______________________ по-русски?

— Да, _________________.

в. — Кто ____________ по-испански?

— Мы ________________ по-испански.

г. — Вы _____________ по-французски?

— Нет, но родители ____________ по-французски.

3. (**3.2 жить and review of 1.6 prepositional case of nouns**) Write sentences telling where the following people live. Follow the model. The question marks in the last two items invite you to personalize the sentences by filling in words that are true for you.

Маша — Москва → Маша живёт в Москве.

Вадим — Киев ______________________________

Лора — Молдова ______________________________

Хуан и Мария — Испания ______________________________

Мы — Америка ______________________________

Вы — Франция ______________________________

Ты — Флорида ______________________________

Мы — Нью-Йорк ______________________________

Томас — Филадельфия ______________________________

Родители — ? ______________________________

Я — ? ______________________________

4. (**3.2 писать**) Write sentences telling who writes in what language. Follow the model.

Masha — Ukrainian → Маша пишет по-украински.

Parents — English ______________________________

Vadim — Russian ______________________________

You — French ______________________________

We — German ______________________________

I — ? ______________________________

Имя и фамилия: ______________________ *Число:* ______________

5. (3.2 First-conjugation verbs) Fill in the blanks with the correct form of the verb.

жить — знать — изучать — понимать — читать

а. — Какие языки вы ______________ ?
know

— Я ______________ по-немецки и по-английски, но плохо ______________.
read / understand

— А родители ______________ немецкий?
know

— Нет, они его не ______________ . Мама немного ______________ по-французски.
know / understands

б. — Какие языки вы ______________ ?
understand

— Я ______________ по-русски и по-испански. Я их ______________ в институте.
understand / study

в. Мэри ______________ во Франции, но она плохо ______________
lives / knows

французский язык. Она довольно хорошо ______________ ,
understands

но плохо ______________ .
reads

г. — Ваши родители ______________ в Испании? Значит, они ______________
live / know

испанский язык?

— Они очень хорошо ______________ по-испански.
understand

6. (3.3 Second-conjugation verbs) Supply the correct forms of the verb **говорить.**

а. — Вы ______________ по-русски?

— Да, ______________.

б. Ты ______________ по-немецки?

в. Дома мы ______________ по-английски.

г. Русский президент не ______________ по-английски.

д. Американский президент не ______________ по-русски.

е. Я немножко ______________ по-украински.

ж. Наши родители ______________ по-французски.

7. (3.5 языки) Advanced students doing research or language training in Russia are called **стажёры.** In the following paragraphs about two American **стажёры** and one of their teachers, fill in the blanks with **по-русски** or **русский язык** as appropriate.

Американские стажёры хорошо знают ___________________________. Они изучают ___________________________ в Америке и в России. Джим Браун свободно говорит ___________________________. Он говорит ___________________________ в общежитии. Он хорошо знает ___________________________. Линда Дейвис тоже хорошо говорит ___________________________. Она свободно читает ___________________________.

Анна Петровна преподаёт (*teaches*) русский язык в Институте . Она читает лекции ___________________________.

8. (3.5 языки—Personalized) Refer to the partial list of languages that are more or less commonly taught in the United States on page 66 of the textbook. Check languages that are relevant to you and write ten sentences describing what you can do in these languages and how well. The verbs and adverbs below will help.

Verbs	Adverbs
говорить	свободно - очень хорошо - хорошо
понимать	неплохо
читать	плохо - не хорошо
писать	немного - немножко
	быстро - медленно

а. ___________________________

б. ___________________________

в. ___________________________

г. ___________________________

д. ___________________________

е. ___________________________

ж ___________________________

з. ___________________________

и. ___________________________

к. ___________________________

Имя и фамилия: ______________________________ *Число:* ____________

9. (3.6 национальность) Fill in the blanks with the appropriate word.

а. Джон американец. Его мама тоже ______________________

б. Мария испанка. Её родители тоже ______________________

в. Дима и Ваня русские. Их папа тоже ______________________

г. Жан француз. Его мама тоже ______________________

д. Кэтлин англичанка. Её родители тоже ______________________

е. Дейвид канадец. Его родители тоже ______________________

ж. Мин-Ли китаянка. Её папа тоже ______________________

з. Маша украинка. Её папа тоже ______________________

и. Моя мама ______________________

к. Я ______________________

10. (3.7 Prepositional case) Underline all the words in the prepositional case.

а. Маша и её родители русские. Они живут в Москве, в большой хорошей квартире.

б. Мария мексиканка. Её родители тоже мексиканцы. Они живут в Мексике.

в. В университете Марк и Джон говорят по-русски, но дома они говорят по-английски.

д. Я учусь в хорошем университете в штате Нью-Йорк.

г. Студенты в этом университете живут в больших общежитиях.

11. (3.7 Prepositional case) Tell where the following people live, following the model. Circle each of the adjective endings that is affected by the 5-letter spelling rule.

Катя — новый дом → Катя живёт в новом доме.

а. Анна — большое общежитие

____

б. Саша — красивая квартира

____

в. Соня — хороший дом

____

г. Михаил — большой дом

____

д. Наташа — маленькое общежитие

____

е. Дима — новая квартира

____

ж. Лена — старый дом

____

з. Хью — Новая Англия

____

и. Сэм — хорошая квартира

____

к. Вадим — большая квартира

____

л. Я — ?

____

12. (Pulling it all together) Fill in the blanks with correct forms of the indicated words.

Здравствуйте, давайте познакомимся. Меня зовут Андрей.

________________ в ______________________ ,
I live large city

который называется Харьков. Мама у меня

________________, а папа ________________.
Russian Ukrainian

Дома мы ________________ ________________.
speak Russian

Папа у меня настоящий полиглот. Он хорошо ________________
knows

________________, ________________ и ________________
Russian Ukrainian English

________________, неплохо ________________ и ________________
languages reads writes

________________ и ________________.
French Spanish

Я ________________ ________________
study English

________________. Пока ещё ________________
at the university (I) speak

________________ и ________________,
badly understand

только когда ________________ ________________.
(they) speak slowly

Но у меня сейчас новый друг, ________________ ,
an American

и мы сейчас говорим только ________________.
English

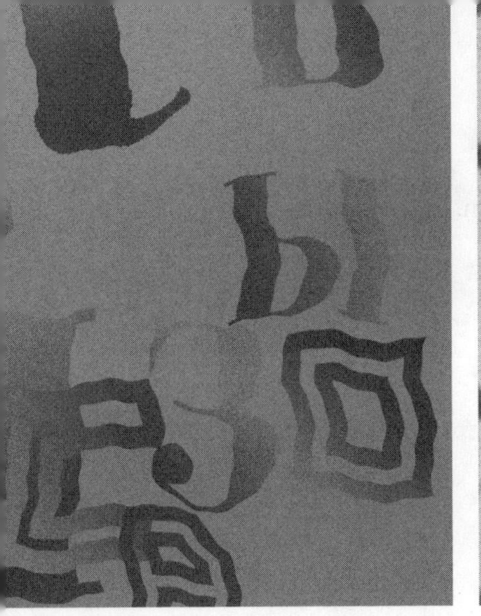

Университет

Числительные

1. Listen to the tape and look at the script below.

31	40	50
ТРИ × ДЦАТЬ + ОДИН	**СОРОК**	**ПЯТЬ × ДЕСЯТ** (pronounced as **пидися́т**)

31	три́дцать оди́н	41	со́рок оди́н
32	три́дцать два	42	со́рок два
33	три́дцать три	43	со́рок три
34	три́дцать четы́ре	44	со́рок четы́ре
35	три́дцать пять	45	со́рок пять
36	три́дцать шесть	46	со́рок шесть
37	три́дцать семь	47	со́рок семь
38	три́дцать во́семь	48	со́рок во́семь
39	три́дцать де́вять	49	со́рок де́вять
40	со́рок	50	пятьдеся́т

Б. Now write down the numbers (in figures, not in words) as you hear them. Proceed vertically down the columns.

а	б
______________	______________
______________	______________
______________	______________
______________	______________
______________	______________
______________	______________
______________	______________
______________	______________
______________	______________

В. Jot down the following telephone numbers for Novgorod.

Соколо́ва	________________________	Ро́занов	________________________
Полищу́к	________________________	Каре́нина	________________________
Са́венко	________________________	Петро́в	________________________
Попо́в	________________________	Ивано́ва	________________________
Розенбе́рг	________________________	Ефре́мов	________________________
Саве́льева	________________________	Гладко́в	________________________

Имя и фамилия: ________________________________ *Число:* ____________________

Г. Jot down the following temperatures. Russian temperatures are given in Celsius: 0–5 is above freezing. 5–10 is brisk. 10–20 is warm. 20–25 is very pleasant. 25–30 is hot. Above 30 is beastly.

Temperature	Significance: check one					
	above freezing	brisk	warm	very pleasant	hot	beastly
1. Ерева́н ________ гра́дусов (Арме́ния)						
2. Минск ________ гра́дуса (Белару́сь)						
3. Кишинёв ________ гра́дусов (Молдо́ва)						
4. Ташке́нт ________ гра́дусов (Узбекиста́н)						
5. Тбили́си ________ гра́дуса (Гру́зия)						
6. Баку́ ________ гра́дусов (Азербайджа́н)						

Фонетика и интонация

Review of Units 1–3

A. Listen to the sentences on tape and identify the type of intonation you hear. Place a period or a question mark at the end of each sentence.

1. (IC– ____) Вы но́вый стажёр
2. (IC– ____) Како́й язы́к вы изуча́ете
3. (IC– ____) Вы хорошо́ говори́те по-ру́сски
4. (IC– ____) Вы чита́ете по-англи́йски
5. (IC– ____) Кака́я у вас специа́льность
6. (IC– ____) Где вы живёте
7. (IC– ____) Вы понима́ете по-ру́сски
8. (IC– ____) Джим у́чится на факульте́те ру́сского языка́
9. (IC– ____) Как вы сказа́ли
10. (IC– ____) Я учу́сь на второ́м ку́рсе

Имя и фамилия: ______________________________ *Число:* ____________________

Б. Repeat the sentences on tape, imitating the intonation as closely as you can.

1. Вы у́читесь в университе́те?
2. *Да, я учу́сь на второ́м ку́рсе.*
3. Что вы изуча́ете?
4. *Я изуча́ю ру́сский язы́к.*
5. Ва́ша специа́льность — ру́сский язы́к?
6. *Нет, моя́ специа́льность — ру́сская исто́рия.*
7. Вы хорошо́ говори́те по-ру́сски.
8. *Нет, я ду́маю, что я говорю́ пло́хо.*
9. Вы чита́ете по-ру́сски?
10. *Да, чита́ю.*
11. Каки́е ещё языки́ вы зна́ете?
12. *Я зна́ю францу́зский и испа́нский языки́.*
13. Где вы живёте?
14. *Я живу́ в общежи́тии.*

В. Review the rules for pronouncing unstressed **o** and **e.** Listen to the tape and imitate the pronunciation of these words as closely as you can. Add other words you know to the list and practice their pronunciation.

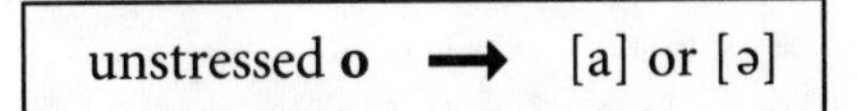

1. профе́ссор
2. поли́тика
3. эконо́мика
4. понима́ю
5. преподава́тель
6. филосо́фия
7. психоло́гия
8. говорю́
9. матема́тика
10. литерату́ра
11. биоло́гия

Г. In the words below, **ь** indicates the softness (palatalization) of the preceding **л.** Recall that palatalization means pronouncing a consonant with the middle portion of the tongue raised toward the palate. Imitate the pronunciation of **ль** in these familiar words as closely as you can.

1. специáльность
2. фильм
3. тóлько
4. факультéт
5. автомоби́ль
6. преподавáтель

Устные упражнения

Oral Drill 1 (4.1 учи́ться) Say that the following people study at the university.

Вáня ➞ Вáня ýчится в университéте. Я ➞ Я учýсь в университéте.

мы, ты, я, Анна, нáши сосéди, вы, Кóстя, они́

Oral Drill 2 (4.1 учи́ться, рабóтать) Ask whether the following people go to school or work.

Вы ➞ Вы ýчитесь и́ли рабóтаете? Евгéний ➞ Евгéний ýчится или рабóтает?

ты, твоя́ мáма, егó роди́тели, вы, ваш пáпа, наш сосéд

Имя и фамилия: ______________________ *Число:* ______________

Oral Drill 3 (Page 92 vocabulary and 4.2–4.3 учи́ться на како́м ку́рсе) Tell what class these college students are in.

На како́м ку́рсе у́чится Аня? — пе́рвый ➞ Она́ у́чится на пе́рвом ку́рсе.

Пе́тя — второ́й

На́таша — тре́тий

Дми́трий — четвёртый

Со́ня — пя́тый

Кири́лл — аспиранту́ра

вы — ?

Oral Drill 4 (4.3 изуча́ть что) Ask what subjects the following people are studying.

Ива́н ➞ Что изуча́ет Ива́н? Вы ➞ Что вы изуча́ете?

ты, он, Та́ня, Джим, студе́нты, америка́нцы, стажёры, она́, они́, студе́нт

Oral Drill 5 (Vocabulary) Practice the names of subjects following the model.

Кака́я у вас специа́льность? — ру́сский язы́к ➞ Моя́ специа́льность — ру́сский язы́к.

ру́сская литерату́ра

америка́нская исто́рия

францу́зский язы́к

междунаро́дные отноше́ния

политоло́гия

ру́сская литерату́ра

компью́терная те́хника

Oral Drill 6 (Vocabulary and review of the prepositional case) Tell in what department the following instructors work.

Мари́я Ива́новна — истори́ческий ➞ Мари́я Ива́новна рабо́тает на истори́ческом факульте́те.

Макси́м Дми́триевич — экономи́ческий

Алла Васи́льевна — юриди́ческий

Мари́на Ива́новна — медици́нский

Кири́лл Петро́вич — филологи́ческий

Анна Ефи́мовна — математи́ческий

Oral Drill 7 (Vocabulary) Remember, Russian students enroll in a particular department.

Марк и Вади́м у́чатся на истори́ческом факульте́те? ➞ Да, их специа́льность — исто́рия.

Ка́тя и Стёпа у́чатся на медици́нском факульте́те?

Са́ша и Алёша у́чатся на филологи́ческом факульте́те?

Ди́ма и Ге́на у́чатся на экономи́ческом факульте́те?

Кири́лл и Со́ня у́чатся на юриди́ческом факульте́те?

Oral Drill 8 (4.4 Accusative case) Claim to be studying the following subjects.

история ➞ Я изуча́ю исто́рию.

матема́тика, филосо́фия, хи́мия, фи́зика, эконо́мика, медици́на, политоло́гия, междунаро́дные отноше́ния, психоло́гия, юриспруде́нция

Oral Drill 9 (4.4 Accusative case) Practice the accusative case and the names of subjects of study by claiming to know the following well.

исто́рия ➞ Я хорошо́ зна́ю исто́рию. фи́зика ➞ Я хорошо́ зна́ю фи́зику.

эконо́мика, литерату́ра, матема́тика, хи́мия, грамма́тика, биоло́гия, ру́сская литерату́ра, америка́нская литерату́ра, францу́зская исто́рия, антрополо́гия, психоло́гия, геогра́фия, ру́сский язы́к

Имя и фамилия: ________________________________ *Число:* ____________________

Oral Drill 10 (4.4 Accusative case) Claim to read the following things.

Что вы чита́ете? — но́вая кни́га ➞ Я чита́ю но́вую кни́гу.

интере́сная газе́та, ста́рый журна́л, «Спу́тник», твоя́ кни́га, их журна́л, наш уче́бник, «Аргуме́нты и фа́кты», «Росси́я», интере́сная кни́га

Oral Drill 11 (4.5 Conjunctions) Practice giving your opinion as in the model.

Это интере́сный курс. ➞ Я ду́маю, что э́то интере́сный курс.

Это хоро́ший университе́т.

У меня́ интере́сная програ́мма.

Это тру́дный курс.

Наш преподава́тель хоро́ший.

Это интере́сная кни́га.

Ру́сский язы́к о́чень краси́вый.

Oral Drill 12 (4.5 Conjunctions) A teacher asks various people all sorts of questions. None of them answers! Follow the model.

Преподава́тель спра́шивает Са́шу, где он живёт. ➞ Он не отвеча́ет, где он живёт.

Преподава́тель спра́шивает студе́нтку, как она́ пи́шет по-ру́сски.

Преподава́тель спра́шивает Ва́ню и Се́ню, что они́ чита́ют.

Преподава́тель спра́шивает тебя́, где ты живёшь.

Преподава́тель спра́шивает вас, как вы говори́те по-англи́йски.

Письменные упражнения

1. (4.2 в vs. на) Fill in the blanks with the correct preposition.

Юра учится __________ втором курсе ___________ институте ________ Киеве. Там он учится ______________ филологическом факультете, _________ кафедре русского языка. Живёт он _________ общежитии.

2. (4.2 в vs. на) Fill in the blanks with the correct preposition.

а. __________ каком университете вы учитесь?

б. __________ каком факультете вы учитесь?

в. Вы учитесь ________ четвёртом курсе или _________ аспирантуре?

г. Вы живёте ________ квартире или _________ общежитии?

Имя и фамилия: ______________________________ *Число:* ______________

3. (4.1–4.3 учиться) Compose sentences from the following elements, adding prepositions where necessary. Be sure to make the verbs agree with their subjects and the modifiers agree with the nouns they modify, and to put the objects of the prepositions **в** and **на** in the prepositional case.

Саша/учиться/институт → Саша учится в институте.

а. Где/вы/учиться? ______________________________

____

б. Мы/учиться/большой/университет ______________________________

____

в. Я/учиться/исторический/факультет ______________________________

____

г. Майк и Дебби/учиться/Филадельфия ______________________________

____

д. Ты/учиться/институт/или/университет? ______________________________

____

е. Какой/курс/учиться/твой/соседи? ______________________________

____

ж. Кто/учиться/аспирантура? ______________________________

____

4. (4.2 в vs. на + prepositional case) Fill in the blanks with needed prepositions and with adjectives and nouns in the prepositional case.

— Где вы учитесь?

— Здесь ______________________________ или
in Russia

дома ______________________________? Здесь
in America

______________ я учусь ______________
in Moscow in the university

______________________________.
in the economics department

Дома ______________________________ я учусь
in California

____
in a small university

______________________________.
in the Russian department

— А живёте где? ______________________________?
In an apartment?

— Нет, ______________________________.
in a large dorm

— А вы только учитесь?

— Нет, я также работаю ______________________________.
in our museum

5. (4.1–4.3 Personalized) Answer the following questions in complete sentences.

а. Как вас зовут?

____

б. Вы учитесь или работаете?

____

в. Где?

____

г. На каком курсе вы учитесь?

____

д. Какая у вас специальность?

____

е. Какие языки вы знаете?

____

ж. Вы живёте в общежитии или в квартире?

____

з. А где живут ваши родители?

____

6. Review the uses and meanings of the three cases you know. In the following passage, indicate whether the italicized words are nominative (N), prepositional (P), or accusative (A).

Это *новый стажер* ( ). Его зовут *Джим Браун* ( ). *Джим* ( ) учится в *институте* ( ) имени Герцена в *Петербурге* ( ). *Он* ( ) живёт в *общежитии* ( ).

В *Америке* ( ) *Джим* ( ) учится на *третьем курсе* ( ). *Он* ( ) учится на *филологическом факультете* ( ). *Он* ( ) изучает *русский язык* ( ) и *литературу* ( ).

Джим ( ) читает *газеты* ( ) и *журналы* ( ) в *библиотеке* ( ). *Он* ( ) слушает *кассеты* ( ) в *лингафонном кабинете* ( ). У него очень *хорошая программа* ( ).

Его преподаватель ( ) — *Анна Петровна Костина* ( ). *Анна Петровна* ( ) хорошо знает *русскую грамматику* ( ). *Она* ( ) хорошо преподаёт* *русский язык* ( ). *Джим* ( ) читает *третий урок* ( ) в *учебнике* ( ). *Он* ( ) хорошо понимает *материал* ( ).

***преподаёт** — *teaches*

7. (4.4 Accusative case) Fill in the blanks with adjectives and nouns in the accusative case.

а. Президент читает ______________________________.
документы

б. Русские любят читать ______________________________.
поэзия

в. Американцы любят читать ______________________________.
техническая литература

г. Студенты читают ______________________________ в библиотеке.
новые учебники

д. ______________________________ вы любите читать?
Какие книги

е. ______________________________ ты читаешь?
Какая книга

ж. Вы читаете ____________________ или ____________________?
газета журнал

з. Вы хорошо знаете ______________________________?
американская литература

и. ______________________________ читает Маша?
Какой журнал

к. Я читаю ______________________________.
интересная новая газета

8. (4.4 Accusative case) Fill in the blanks with adjectives and nouns in the accusative case.

— Костя, ты читаешь ______________________________?
русские газеты

— Да, я читаю ______________________________ и ______________________________.
«Народная правда» «Московские новости»

Я также читаю ______________________________.
русские журналы

Я регулярно читаю ______________________________ и ______________________________.
«Новый мир» «Русский голос»

А ______________________________ ты читаешь?
какие газеты

— Я читаю ______________________________, потому что я люблю
«Литературная газета»

______________________________.
русская литература

Имя и фамилия: ______________________ *Число:* ______________

9. (Review of languages) Fill in the blanks with the correct form.

немецкий язык	французский язык	итальянский язык
по-немецки	по-французски	по-итальянски

— ______________________ вы знаете?
What languages

— Я ______________________ , а ______________________ и
speak French read

______________________ ______________________
understand German

и ______________________ .
English

— Вы ______________________ ?
know English well

— Нет, моя специальность — ______________________ .
French

______________________ я ______________ ______________ . А вы?
French know well

— Я ______________________ ______________________ и
study French

______________________ в университете, но ______________________
Italian speak

______________________ только ______________________ .
French a little

10. (Pulling it together) Combine the words in the columns below into ten complete, meaningful, and grammatically correct sentences. Supply the needed prepositions. You will not be able to use words from every column in every sentence, but try to write reasonably long sentences.

Subjects	**Verbs**	**Direct objects**	**Places**
я	учиться	английский язык	университет
студенты	изучать	русская газета	филологический факультет
вы	читать	философия	институт
преподаватель	понимать	интересная книга	дом
американец	работать	экономика	общежитие
мы	знать	литература	лекция
			кафедра русского языка

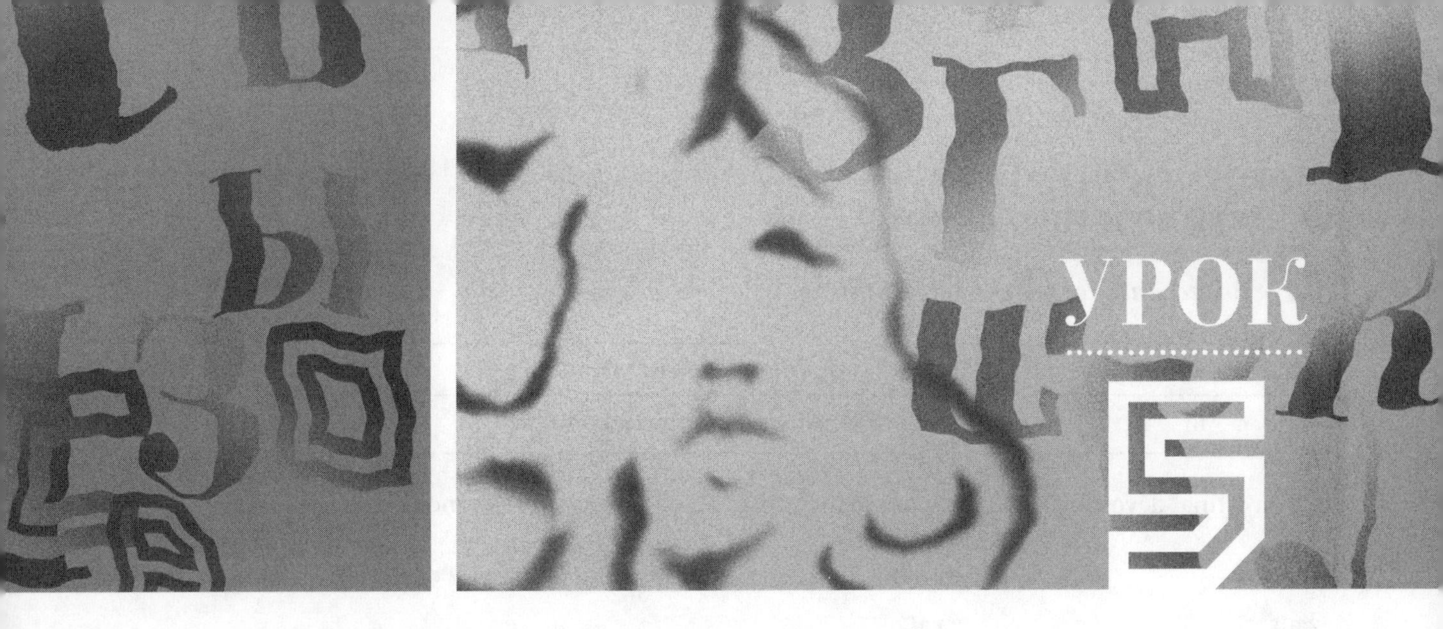

Распорядок дня

Числительные

Listen to the tape and fill in the time in the sentences below.

1. Я встаю в ______________________.
2. Я за́втракаю в ______________________.
3. Я иду́ на уро́к в ______________________.
4. Ру́сская разгово́рная пра́ктика в ______________________.
5. Я обе́даю в ______________________.
6. Я иду́ в библиоте́ку в ______________________.
7. В суббо́ту я иду́ в кино́ в ______________________.

Фонетика и интонация

Voiced and Voiceless Consonants

в	**з**	**ж**	**б**	**г**	**д**	Vocal chords vibrate ***(voiced)***
ф	**с**	**ш**	**п**	**к**	**т**	Vocal chords are silent ***(voiceless)***

1. **Word-final devoicing.** A voiced consonant at the end of a word is pronounced voiceless.

We write	***We say***
джа**з**	джа**с**
гара́**ж**	гара́**ш**

2. **Voiced–voiceless assimilation.** When voiced and voiceless consonants are adjacent to each other, the nature of the second consonant dictates the nature of the first.

We write	***We say***
В Киеве	**Ф К**иеве
баске**тб**о́л	баске**дб**о́л

Имя и фамилия: ______________________________ *Число:* ________________

А. In the expressions below, indicate the actual sound you expect to hear for the underlined letters. Then listen to the expressions on tape to see if you were correct.

> Образе́ц:
> **в** Ки́еве
> *ф* You write *ф* because of assimilation.
> **из** Доне́цка
> *з* You write *з* because you would expect no change.

1. — Оле́г! Что ты сейча́с де́лаешь? Мо́жет быть, пойдём вме́сте в магази́н?

   — Я не могу́. В пять часо́в у меня́ уро́к.

   — Но сего́дня четве́рг! А у тебя́ уро́к то́лько в сре́ду.

   — В сре́ду у меня́ англи́йская фоне́тика.

   — А когда́ ты идёшь домо́й?

   — В во́семь часо́в. Извини́, я до́лжен идти́.

2. — Извини́те, как вас зову́т?

   — Глеб.

   — О́чень прия́тно, Глеб. Меня́ зову́т Ри́чард. Я ваш сосе́д.

   — О́чень прия́тно. Вы живёте на э́том этаже́?

   — Да. Вот здесь, в пя́той ко́мнате.

Б. Repeat the expressions you hear on tape until you are satisfied that you can pronounce them correctly.

Устные упражнения

Oral Drill 1 (5.1 Telling time) Look at the pictures and give the time.

Образе́ц:

Сейча́с во́семь часо́в.

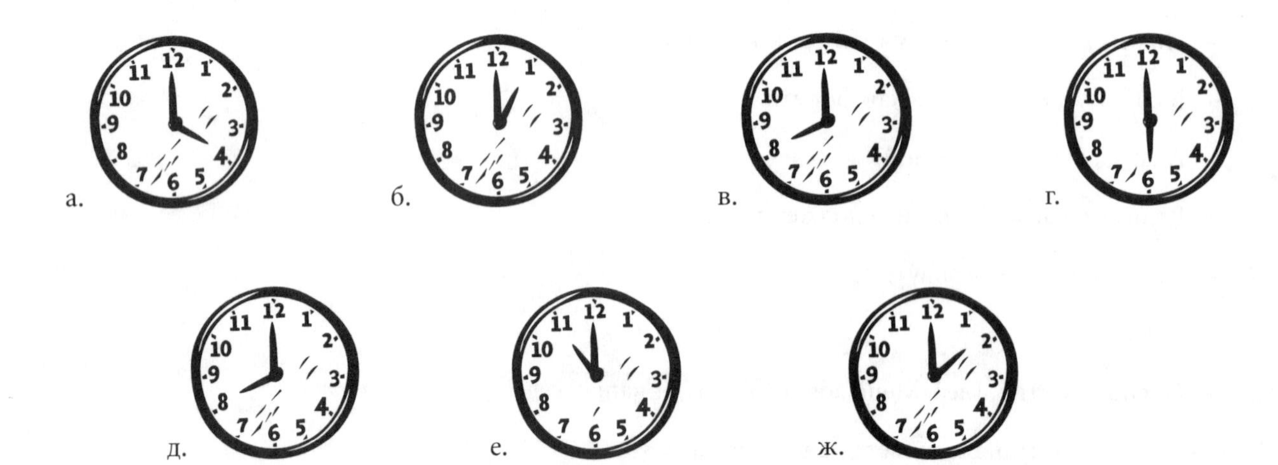

Oral Drill 2 (5.1 Telling time on the hour) Say that you have a lecture at the following times.

Когда́ у вас ле́кция? — 9 ➞ У меня́ ле́кция в де́вять часо́в.

8, 11, 12, 1, 2, 3

Имя и фамилия: ______________________________ *Число:* ______________

Oral Drill 3 (Times of the day) On the basis of the schedule below, answer the questions on tape. Use **у́тром, днём, ве́чером,** or **но́чью** in your answer. The word being asked about comes at the end of the answer.

8.00	чита́ть газе́ту
8.15	идти́ в университе́т
9.00	францу́зский язы́к — фоне́тика
10.30	занима́ться в библиоте́ке
12.30	обе́дать
14.00	францу́зский язы́к — грамма́тика
16.00	аэро́бика
19.45	пойти́ в кино́
23.00	занима́ться до́ма

Когда́ вы чита́ете газе́ту? → Я чита́ю газе́ту у́тром.

Когда́ вы идёте в университе́т?

Когда́ у вас грамма́тика?

Когда́ вы идёте в кино́?

Когда́ вы занима́етесь в библиоте́ке?

Когда́ вы обе́даете?

Когда́ у вас фоне́тика?

Когда́ вы занима́етесь до́ма?

Когда́ у вас аэро́бика?

Oral Drill 4 (5.1 Telling what day something happens) Tell what day the following classes meet, following the model. (*Note:* Students in Russia have classes on Saturday.)

ру́сский язы́к — вто́рник → Ру́сский язы́к во вто́рник.

исто́рия — вто́рник, четве́рг

биоло́гия — среда́, четве́рг

хи́мия — понеде́льник, пя́тница

психоло́гия — понеде́льник

матема́тика — среда́, суббо́та

Oral Drill 5 (5.2 New verbs) Practice the new verbs in this lesson by completing the following substitution drill asking about schedules.

Когда́ вы за́втракаете? — он ➞ Когда́ он за́втракает?

1	2
обе́дает	мы
они́	сосе́дки
мы	вы
у́жинаем	встаёте
она́	она́
я	вы
ты	ты
они́	идёшь на ле́кцию
убира́ют ко́мнату	они́
вы	вы
он	мы
мы	отдыха́ем
обе́даем	ты
ты	вы
они́	они́
смо́трят телеви́зор	ложа́тся
я	вы
ты	она́

Oral Drill 6 (5.3 занима́ться and review of prepositional case to tell где) Tell where the following people study (do their homework).

Аня — библиоте́ка ➞ Аня занима́ется в библиоте́ке.

Пе́тя — общежи́тие

мы — ко́мната

они́ — библиоте́ка

ты — дом

вы — общежи́тие

я — ?

Oral Drill 7 (5.4 идти́) Ask where the following people are going. In short questions with a question word, the nouns normally come after the verb, whereas the pronouns come before.

Куда́ ты идёшь? — он ➞ Куда́ он идёт?

она́, вы, они́, мы, Та́ня, Та́ня и Ни́на

Имя и фамилия: ______________________________ *Число:* ______________

Oral Drill 8 (5.4 éхать) Say that the following people are going to Novgorod.

наш преподавáтель ➞ Наш преподавáтель éдет в Нóвгород.

роди́тели, я, мы, Анна, ты, Олéг, вы

Oral Drill 9 (5.5 где vs. кудá) Ask the speaker to repeat the place named.

Тáня рабóтает в Москвé. ➞ Где? Алёша идёт на рабóту. ➞ Кудá?

Вáня опáздывает на фильм.

Кáтя зáвтракает дóма.

Сóня éдет в Нóвгород.

Вади́м занимáется в библиотéке.

Вáся идёт в библиотéку.

Я отдыхáю в пáрке.

Мы ýчимся в большóм университéте.

Не хóчешь пойти́ в цирк?

Oral Drill 10 (5.6 в/на + accusative case for direction) Say that you are going to the following places.

парк ➞ Я идý в парк.

магази́н, ресторáн, библиотéка, рабóта, музéй, стадиóн, дом, аудитóрия, кафé

Oral Drill 11 (5.4-5.6 идти́ vs. éхать with в/на + accusative case) State that you all are going to the places mentioned below. If it is possible to walk, then walk. Otherwise, go by vehicle.

Нью-Йóрк ➞ Мы éдем в Нью-Йóрк. урóк ➞ Мы идём на урóк.

рабóта, Москвá, библиотéка, Росси́я, концéрт, Иркýтск, Владивостóк, дáча, музéй, бассéйн, ресторáн,

Англия, цирк

Oral Drill 12 (5.6 в/на + accusative case for direction) Say that you are late to the following places. Remember that activities take the preposition **на**.

урóк → Я опáздываю на урóк.

университéт, лéкция, рок-концéрт, библиотéка, эконóмика, рýсский язы́к, рýсская истóрия, кафé, магазúн, урóк

Oral Drill 13 (Invitations and 5.6 в/на + accusative case for direction) Invite a friend to go to the following places.

магазúн → Хóчешь пойтú в магазúн?

парк, нóвый ресторáн, концéрт, рабóта, библиотéка, кинó, балéт

Oral Drill 14 (Review of в/на + prepositional case for location) Tell where the following people work, following the model.

Тáня — музéй → Тáня рабóтает в музéе.

Борúс — библиотéка

Марúя Ивáновна — шкóла

Антóн Пáвлович — институ́т

Шу́ра — магазúн

Лéна — кинó

Дáня — стадиóн

студéнты — аудитóрия

я — кафé

Имя и фамилия: ______________________ *Число:* ______________

Oral Drill 15 (5.7 до́лжен and свобо́ден) Say that the following people are not free, they have to study.

Кири́лл	→	Кири́лл не свобо́ден. Он до́лжен занима́ться.
Анна	→	Анна не свобо́дна. Она́ должна́ занима́ться.

Ма́ша, Вади́м, Гри́ша, Вади́м и Гри́ша, мы, Са́ра, студе́нты, я

Oral Drill 16 (Review of subjects) Practice responding to the questions about what class you have next.

Что у тебя́ сейча́с? — исто́рия	→	Сейча́с у меня́ исто́рия.

эконо́мика, ру́сский язы́к, англи́йская литерату́ра, матема́тика, междунаро́дные отноше́ния, геогра́фия

Письменные упражнения

1. (5.1 Telling time) Write a short dialog under each picture.

Образец:

— Сколько сейчас времени?

— Пять часов.

а.

____

____

б.

____

____

в.

____

____

г.

____

____

д.

____

____

е.

____

____

Имя и фамилия: ______________________________ *Число:* ______________

2. (5.1 Time) Fill in the preposition **в** where necessary in the following conversations.

а. — Сколько сейчас времени?

— _____ 9 часов.

б. — Когда у вас русский язык?

— _____ 10 часов.

в. — Хотите пойти в магазин?

— Когда?

— _____ 11 часов.

— У меня биология _____ 11 часов. Давайте пойдём _____ час.

— Договорились.

г. — Давайте пойдём в магазин.

— Хорошо. Только у меня химия _____ три часа.

— Но сейчас уже _____ три часа. Вы опаздываете.

3. (5.1 Telling on what day — Personalized) Answer the following questions truthfully in complete sentences. The word(s) being asked about should go at the end of your answers.

а. В какие дни вы не слушаете лекции?

____

б. В какие дни у вас русский язык?

____

в. В какие дни вы смотрите телевиизор?

____

г. В какие дни вы занимаетесь в библиотеке?

____

д. В какие дни вы не завтракаете дома?

____

4. (5.1 Days of week, and 5.2 new verbs) Write ten meaningful sentences using one element from each column. Supply needed prepositions and the correct endings. Do not change the word order.

понедельник		американцы		слушать радио
вторник		русские		слушать лекции
среда	утром	студенты		работать
четверг	днём	преподаватель	(не)	отдыхать
пятница	вечером	мать		заниматься
суббота		я		обедать дома
воскресенье		мы		смотреть телевизор

а. ___

б. ___

в. ___

г. ___

д ___

е. ___

ж. ___

з. ___

и. ___

к. ___

5. (5.4 Going идти vs. ехать) Everyone is going somewhere tomorrow. Fill in the blanks with the appropriate verb.

а. Алла ___ в Москву.

б. Сергей ___ в кино.

в. Володя ___ в университет.

г. Мы ___ в Киев.

д. Кира и Дима ___ в Суздаль.

е. Я тоже ___ в Суздаль.

ж. Ты ___ в библиотеку.

з. Родители ___ на дачу.

и. Дети ___ в цирк.

к. Вы ___ на лекцию.

6. (5.4 Going — я иду *set out* or *be on the way* vs. я хожу *make multiple round trips*) Fill in the blanks with the needed verb.

а. Каждый день я ______________ в университет.

б. В понедельник я ______________ на русский язык в 9 часов.

в. В пятницу вечером я обычно ______________ в кино.

г. В 5 часов я ____________ в кафе, и в 7 часов я ____________ домой.

д. Я сейчас ______________ на стадион.

7. (5.5–5.6 где/куда) Which of the verbs below are **где**-type verbs and which ones are **куда**-type? Formulate a question with each of the verbs and then answer it.

а. заниматься вопрос ____

ответ ____

б. работать вопрос ____

ответ ____

в. идти вопрос ____

ответ ____

г. жить вопрос ____

ответ ____

д. отдыхать вопрос ____

ответ ____

е. опаздывать вопрос ____

ответ ____

ж. учиться вопрос ____

ответ ____

з. ехать вопрос ____

ответ ____

8. Case concept exercise. Review the use and meaning of the cases you know. Identify the case of the italicized words in the passage below.

Я ( ) учусь в *университете* ( ). У меня занятия в *понедельник* ( ), *среду* ( ) и *пятницу* ( ).

Суббота ( ) и *воскресенье* ( ) — мои любимые дни. В *субботу* ( ) я не занимаюсь. Утром я иду в *магазин* ( ), а вечером — в кино ( ).

В *понедельник* ( ) я иду на *интересную лекцию* ( ). *Наша лекция* ( ) на *первом этаже* ( ). На *лекции* ( ) я слушаю, что говорит *преподаватель* ( ). На *уроке* ( ) *мы* ( ) говорим только по-русски. Я люблю *русский язык* ( ).

9. (5.1–5.6 Распорядок дня) In the sentences of the following story, supply the correct endings and the needed prepositions. Do not change word order.

а. утром / я / вставать / рано.

____

б. я / принимать / душ / и / быстро / одеваться.

____

____

в. потом / я / завтракать / и / читать / газета.

____

____

г. девять / час / я / идти / университет, / потому что / у / я / русский язык / десять / час.

____

____

____

д. одиннадцать / час / у / я / история. обедать / я / час.

____

____

е. днём / я / идти / библиотека. там / я / заниматься.

____

____

ж. шесть / час / я / идти / дом, / где / я / ужинать.

____

з. вечером / я / отдыхать — обычно / слушать / американская музыка / смотреть телевизор / или / читать / новые книги.

____

____

____

и. десять / час / я / ложиться.

____

10. (5.1–5.6 New verbs and their complements) Распорядок дня. Create a short paragraph about your daily activities or, if you prefer, about the daily activities of a fictional character named Vadim. Use every word in columns 1 and 2 at least once. Supply needed prepositions and the correct endings. You may add additional words (such as days of the week or times) if you wish.

1	2	3
утром	читать газету	библиотека
днём	слушать музыку	лекция
вечером	идти	наш дом
ночью	заниматься	работа
	вставать	музей
	ложиться	магазин
	одеваться	университет
	опаздывать	
	отдыхать	

Имя и фамилия: ____________________ *Число:* ____________

11. (5.7 должен) Change sentences such as *Jane studies* to *Jane has to study*.

а. Мы отдыхаем вечером.

____

б. Володя занимается в библиотеке.

____

в. Студенты говорят по-русски.

____

г. Вы работаете в общежитии.

____

д. Родители смотрят новые фильмы.

____

е. Мама быстро одевается.

____

ж. Вы учитесь в университете.

____

з. Мы завтракаем рано.

____

и. Я слушаю американскую музыку.

____

к. Преподаватель пишет по-английски.

____

Дом, квартира, общежитие

Числительные

You already know many Russian numbers. You will now learn to recognize numbers 51 to 99 plus compound "hundred" numbers such as 255. Listen to the tape and look at the script below. Pay attention to the effects of vowel reduction, as indicated in the right-hand column of the first box.

51	пять × деся́т + оди́н	pronounced **пидися́т ади́н**
60	шесть × деся́т	pronounced **шыздися́т**
70	се́мь × десят	pronounced **се́мдисит**
80	во́семь × десят	pronounced **во́симдисит**
90	девяно́сто	pronounced **дивино́ста**
100	сто	pronounced as spelled

51	пятьдеся́т один	10	де́сять
52	пятьдеся́т два	20	два́дцать
53	пятьдеся́т три	30	три́дцать
54	пятьдеся́т четы́ре	40	со́рок
55	пятьдеся́т пять	50	пятьдеся́т
56	пятьдеся́т шесть	60	шестьдеся́т
57	пятьдеся́т семь	70	се́мьдесят
58	пятьдеся́т во́семь	80	во́семьдесят
59	пятьдеся́т де́вять	90	девяно́сто
60	шестьдеся́т	100	сто
128	сто два́дцать во́семь	555	пятьсо́т пятьдеся́т пять

А. Listen to the addresses read on tape. Then mark them down on the map below. The two examples are marked for you:

Образцы́:

1. Ди́ктор: у́лица Грибое́дова, дом 94, кварти́ра 355

2. Ди́ктор: Больша́я Вороши́ловская у́лица, дом 58, кварти́ра 174.

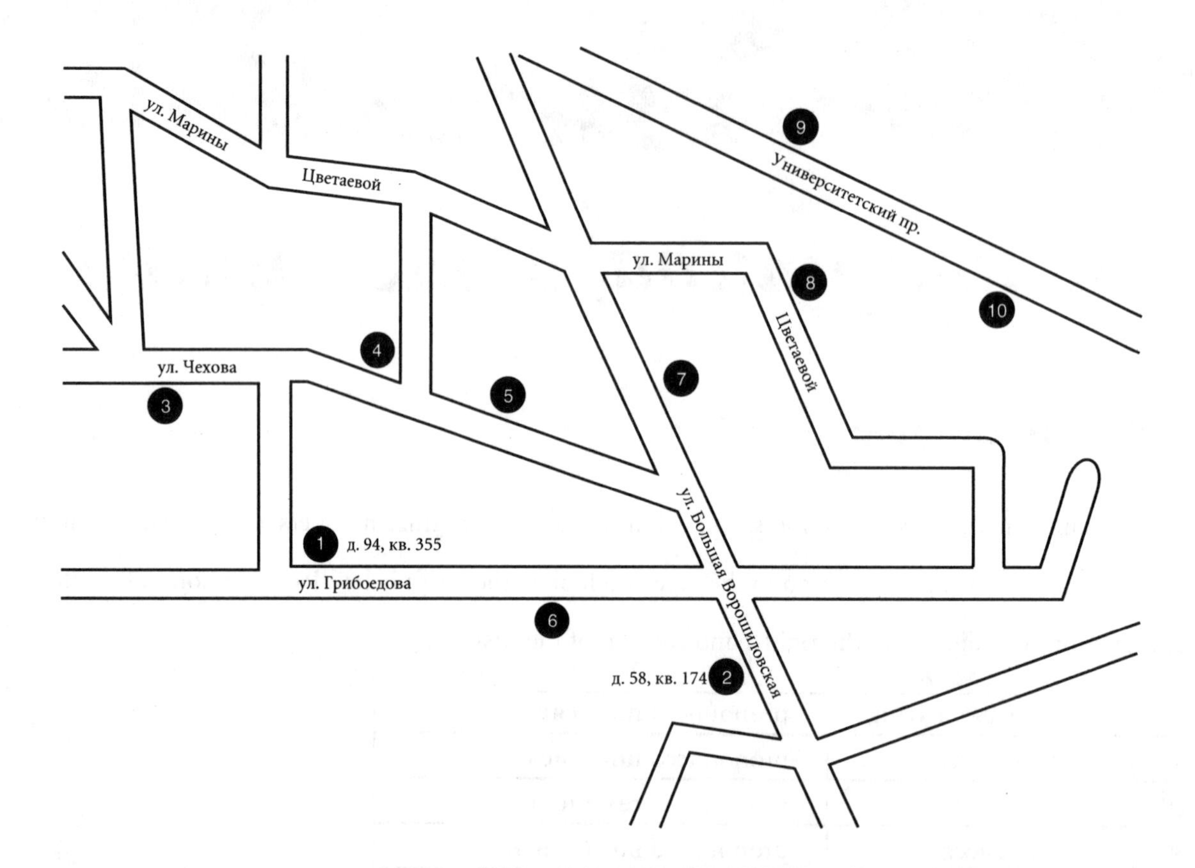

Б. Write down the prices of the following items. Each number is followed by a form of the word for thousand (ты́сяча, ты́сячи, ты́сяч).

компью́тер _________

большо́й телеви́зор ________

автомоби́ль «Мерседе́с» _________

да́ча _______________

авиабиле́т бизнеса-кла́сса Москва́-Нью-Йо́рк_________

я́хта ___________

пятико́мнатная кварти́ра _________

Имя и фамилия: ______________________________________ *Число:* ____________________

Фонетика и интонация

Intonation Contour IC–5

Intonation contour IC–5 occurs in expressions of exclamation such as

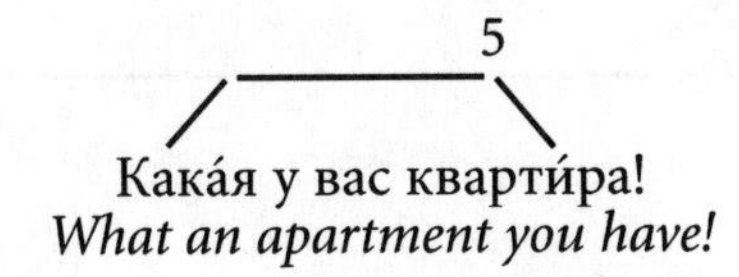

Compare this to IC–2 used in questions with a question word such as

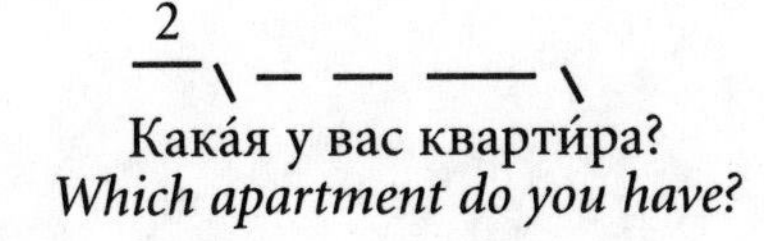

А. Listen to each of the sentences below. Provide the appropriate punctuation, either an exclamation point or a question mark. Indicate which IC you heard.

1. (IC–___) Кака́я да́ча
2. (IC–___) Како́й при́город
3. (IC–___) Како́й ста́рый ковёр
4. (IC–___) Кака́я ую́тная гости́ная
5. (IC–___) Како́й у вас холоди́льник
6. (IC–___) Каки́е у вас фотогра́фии
7. (IC–___) Кака́я у вас тради́ция
8. (IC–___) Каки́е краси́вые дома́
9. (IC–___) Како́й здесь телеви́зор
10. (IC–___) Како́й большо́й

Б. Repeat the expressions in the previous exercises as accurately as you can until you are pleased with the results.

Устные упражнения

Oral Drill 1 (New vocabulary: parts of the house and review of prepositional case) Say that Mom is now in the rooms named.

ку́хня → Ма́ма сейча́с на ку́хне.

спа́льня

ва́нная

гости́ная

столо́вая

больша́я ко́мната

ма́ленькая ко́мната

общежи́тие

восьмо́й эта́ж

Oral Drill 2 (New vocabulary: rooms and furnishings) When asked if you want to see something, respond that you have the exact same item!

Ты хо́чешь посмотре́ть но́вый дива́н? → У нас тако́й же дива́н!

Ты хо́чешь посмотре́ть...

на́шу маши́ну?

но́вую крова́ть?

пи́сьменный стол?

но́вый компью́тер?

мои́ но́вые джи́нсы?

наш но́вый шкаф?

наш ковёр?

большо́й холоди́льник?

на́шу да́чу?

э́ту ико́ну?

на́шу столо́вую?

Имя и фамилия: ______________________________ *Число:* ______________

Oral Drill 3 (New vocabulary: стои́т/стоя́т, виси́т/вися́т, лежи́т/лежа́т) Use the appropriate verb, depending on the object mentioned.

ико́ны ⟶ В э́той ко́мнате вися́т ико́ны. телеви́зор ⟶ В э́той ко́мнате стои́т телеви́зор.

крова́ть

магнитофо́н

ико́на

фотогра́фии

больши́е ла́мпы

(на полу́) ковры́

(на стене́) ковёр

шкаф

Oral Drill 4 (6.1 хоте́ть) Say that the following people want to look at the photographs.

Ива́н ⟶ Ива́н хо́чет посмотре́ть фотогра́фии. мы ⟶ Мы хоти́м посмотре́ть фотогра́фии.

я, ты, роди́тели, сестра́, Ма́ша и Ве́ра, на́ша cосе́дка, вы

Oral Drill 5 (6.3 Genitive pronouns) Ask whether the following people have a car. (The presence of **есть** indicates that the speaker is interested in whether or not the car exists.)

ты ⟶ У тебя́ есть маши́на? он ⟶ У него́ есть маши́на?

вы, она́, кто, они́, ты, он

Oral Drill 6 (6.3 Genitive pronouns) Say the following people have a cozy apartment. (The absence of **есть** indicates that the speaker is focusing on the coziness of the apartment rather than on the apartment itself.)

они́ ⟶ У них ую́тная кварти́ра. мы ⟶ У нас ую́тная кварти́ра.

я, он, вы, они́, она́, ты, мы

Oral Drill 7 (6.3 Genitive singular nouns and modifiers) Ask if the person in question has an armchair.

Ви́ктор ⟶ У Ви́ктора есть кре́сло?

Ве́ра

Ва́ля

Вале́рий Петро́вич

наш преподава́тель

твоя́ мать

твой оте́ц

брат и сестра́

но́вый друг

твой сосе́д по ко́мнате

твоя́ сосе́дка по ко́мнате

Oral Drill 8 (6.5 Nonexistence — нет) You have an unfurnished apartment to rent. Tell prospective tenants that it does not have the things they ask about.

Есть дива́н? ⟶ Нет, нет дива́на.

Есть ... ?

телеви́зор, ма́ленькая ла́мпа, кре́сло, большо́й шкаф, сте́рео, магнитофо́н, крова́ть,

холоди́льник, пи́сьменный стол, плита́

Имя и фамилия: ______________________ *Число:* ______________

Oral Drill 9 (6.5 Nonexistence, not having) Say that you don't have whatever is asked about.

У вас есть большáя кровáть? ⟶ Нет, у меня́ нет большóй кровáти.

У вас есть цветнáя фотогрáфия?

У вас есть большóй шкаф?

У вас есть краси́вое крéсло?

У вас есть такóй ковёр?

У вас есть такáя кровáть?

У вас есть такóй холоди́льник?

У вас есть большóе окнó?

Oral Drill 10 (6.5 Absence) Say that the items asked about are not here, using genitive pronouns.

Где си́нее крéсло? ⟶ Егó здесь нет.

Где моё письмó?

Где зелёный ковёр?

Где мой магнитофóн?

Где моё плáтье?

Где горя́чая водá?

Где мáленькое крéсло?

Где жёлтый дом?

Где моя́ нóвая кровáть?

Oral Drill 11 (6.4–6.5 Having and not having) Contradict the speaker, saying that the people being talked about do indeed have the items in question.

У Ви́ктора нет но́вого до́ма. ⟶ Нет, у него́ есть но́вый дом.

У Алекса́ндра нет но́вого ковра́.

У Ма́ши нет си́него ковра́.

У Ма́ши нет си́ней ла́мпы.

У ма́тери нет си́ней ла́мпы.

У ма́тери нет кра́сной ла́мпы.

У сестры́ нет кра́сного кре́сла.

У Бо́ри нет большо́й кварти́ры.

У Бо́ри нет большо́й спа́льни.

У Ви́ктора нет большо́го до́ма.

У до́чери нет жёлтого кре́сла.

Oral Drill 12 (6.4–6.5 Having and not having) Answer that you have the object in question, using the appropriate pronoun.

У вас нет шка́фа? ⟶ Нет, есть. Вот он.

У вас нет телеви́зора?

У вас нет кре́сла?

У вас нет фотогра́фии?

У вас нет окна́?

У вас нет ку́хни?

У вас нет гаража́?

У вас нет плиты́?

У вас нет ико́ны?

У вас нет ра́дио?

У вас нет ла́мпы?

У вас нет пи́сьменного стола́?

Имя и фамилия: ______________________ *Число:* ______________

Oral Drill 13 (6.4–6.5 Presence, absence, and interrogative pronouns) You didn't quite hear the statement. Ask a confirming question.

Мари́на здесь. →	Кто здесь?
Мари́ны здесь нет. →	Кого́ здесь нет?
Уче́бник здесь. →	Что здесь?
Уче́бника здесь нет. →	Чего́ здесь нет?

Па́па здесь.

Ви́тя здесь.

Жёлтая кни́га здесь.

Ма́мы здесь нет.

Твоего́ бра́та здесь нет.

Большо́й крова́ти здесь нет.

Си́ний дом здесь.

Твоя́ сестра́ здесь.

Магнитофо́на здесь нет.

Пла́тья здесь нет.

Твое́й руба́шки здесь нет.

Роди́тели здесь.

Общежи́тие здесь.

Oral Drill 14 (6.6 Possession and "of") Combine the information given in two sentences into a more succinct message.

Это Макси́м. А э́то его́ кварти́ра. ➞ Это кварти́ра Макси́ма.

Это оте́ц. А э́то его́ да́ча.

Это мать. А э́то её ме́бель.

Это дочь. А э́то её ко́мната.

Это сын. А э́то его́ ико́ны.

Это брат. А э́то его́ холоди́льник.

Это сестра́. А э́то её дива́н.

Это Ма́ша. А э́то её маши́на.

Это Са́ша. А э́то его́ крова́ть.

Это Вале́ра. А э́то его́ стол.

Это На́дя. А э́то её ла́мпа.

Oral Drill 15 (6.7 оди́н–одна́–одно́) When asked if you have something, say that you have one of them.

У вас есть да́ча? ➞ Да, у меня́ одна́ да́ча.

У вас есть крова́ть?

У вас есть дива́н?

У вас есть кварти́ра?

У вас есть туале́т?

У вас есть окно́?

У вас есть ковёр?

У вас есть ра́дио?

У вас есть кре́сло?

У вас есть сосе́дка?

У вас есть сту́л?

Oral Drill 16 (6.7 два vs. две + genitive singular noun) You're asked if you have one of something. Respond that you have two.

У вас однá книга? ➞ Нет, две кни́ги.

У вас однá фотогрáфия?

У вас однá кóмната?

У вас однá кýхня?

У вас однá дверь?

У вас оди́н гарáж?

У вас оди́н телеви́зор?

У вас оди́н преподавáтель?

У вас однó окнó?

У вас однó крéсло?

У вас однó рáдио?

Письменные упражнения

1. (6.1 хотеть) Какие у вас планы? Fill in the blanks in the following questions with the appropriate form of **хотеть.** Mark stress on the words you write in.

— Что вы ____________________ делать сегодня вечером?

— Мы __________________ отдыхать. Я ___________________ писать письма. Алла

_____________________ пойти в кино. Гриша и Вадим _____________________ смотреть

телевизор. А что ты ___________________ делать?

— Я ____________________ читать.

2. (6.3–6.4 у + genitive pronouns — having) Make sentences out of the following strings of words. The first one is done for you.

у / я / есть / телевизор → У меня есть телевизор.

у / ты / есть / радио ____

у / мы / есть / телевизор и радио ____

Это Максим. У / он / есть / компьютер ____

Это Аня. У / она / есть / принтер ____

Это Максим и Аня. У / они / есть / компьютер и принтер __________________________

____

у / вы / есть / машина? ____

3. (6.3 Review of spelling rules for formation of genitive) Two of the three spelling rules play a role in genitive singular endings for nouns and modifiers. Review those rules here by filling in the blanks.

7-letter rule:	**5-letter rule:**
After ___, ___, ___, ___, ___, ___, ___, do not write ___; write ___ instead.	After ___, ___, ___, ___, ___, do not write ___ if _______________; write ___ instead.

4. (6.3–6.4 у + genitive of singular modifiers and nouns — having) Combine words from the two columns below to write 10 questions asking whether the following people have these things.

ваш сосед	дача
наш преподаватель	компьютер
американский президент	новый диван
твой отец	новый ковёр
твоя новая соседка	русские стулья
её дочь	большой стол
твоя мама	новая лампа

> У твоей мамы есть дача?

а. ______________________________

б. ______________________________

в. ______________________________

г. ______________________________

д. ______________________________

е. ______________________________

ж. ______________________________

з. ______________________________

и. ______________________________

к. ______________________________

5. (6.5 Not having — нет + genitive) Answer the following questions in the negative. Circle endings that are subject to the seven-letter or five-letter spelling rule, and indicate which rule applies.

У Сони есть хорошая книга? → Нет, у неё нет хорош(ей)[5] книг(и)[7].

а. У Максима есть хороший телевизор?

____

б. У Жени на даче есть горячая вода?

____

в. У Кати есть чёрное платье?

____

г. У Кирилла есть русский словарь?

____

д. У Маши есть красный диван?

____

е. У сестры есть белая блузка?

____

ж. У соседки есть синее кресло?

____

з. У соседа есть хорошая машина?

____

Имя и фамилия: ______________________ *Число:* ______________

6. (6.4-6.5 Having and not having — Personalized) Answer the questions (truthfully!) with a full sentence.

а. У вас есть большое окно?

____

б. У вас есть цветной телевизор?

____

в. У вас есть русская икона?

____

г. У вас есть большое кресло?

____

д. У вас есть дача?

____

7. (6.4-6.5 Having and not having) Create ten meaningful, grammatically correct sentences by combining words from the columns below. Do not change word order, but do put the words in the required case. The question mark at the bottom of some of the columns indicates you may use words of your own choosing if you like.

	я		красный	кровать
	ты		зелёный	диван
	он		синий	стол
	она	есть	жёлтый	стул
	мы		голубой	кресло
У	вы		чёрный	шкаф
	они	нет	белый	холодильник
	кто		большой	ковёр
	мой друг		маленький	телевизор
	наша мама		новый	дверь
	ваш брат		старый	общежитие
	?		?	?

У меня есть белый холодильник.
У вашего брата нет большого шкафа.

а. ____________________

б. ____________________

в. ____________________

г. ____________________

д. ____________________

е. ____________________

ж. ____________________

з. ____________________

и. ____________________

к. ____________________

8. (6.6 Possession and "of") Make grammatically correct sentences out of the following strings of words. Do not change word order. When you are done, you will have a short text about Vadim and Anna's new apartment.

У / Вадим / и / Анна / новая квартира. Вот / фотография / их новая квартира. Это / их большая комната. Здесь / кресло, / диван / и / большой стол. У / они / есть / цветной телевизор. Это / комната / Вадим / и / Анна. А вот / комната / их дочь. У / она / компьютер / стоит / на столе.

____

____

____

____

____

____

____

____

____

9. (6.6 Possession and "of") Translate the following short passage into Russian.

This is our family's apartment. Here is grandmother's room. On the table is a picture of her mother and father.

____

____

____

____

____

10. (6.7 Specifying quantity) Make ten meaningful, grammatically correct sentences by taking one word from each column. Do not change word order, but do put the words in the correct case.

У	мой твой наш ваш новый старый хороший плохой	сосед соседка студент студентка преподаватель мать дочь брат сестра	один (одна, одно) два (две) три четыре	кровать диван стол стул кресло шкаф холодильник ковёр телевизор дверь окно

а. ______________________________

б. ______________________________

в. ______________________________

г. ______________________________

д. ______________________________

е. ______________________________

ж. ______________________________

з. ______________________________

и. ______________________________

к. ______________________________

11. (6.8 у кого — at someone's place, and review of days of week) Petya spends every afternoon at a different friend's house. Indicate where he spends each day. The first one is done for you.

пн Виктор вт Жанна ср Саша чт Иван
пт Катя сб Олег вс Мария

а. В понедельник Петя у Виктора.

б. ______________________.

в. ______________________.

г. ______________________.

д. ______________________.

е. ______________________.

ж. ______________________.

Now write 3–5 sentences indicating where you spend different days. Remember to use **в** or **на** plus the prepositional case for places, **у** plus the genitive case for *at someone's place.*

____

____

____

____

____

____

12. (Vocabulary—adjectives of color) Fill in the blanks with the appropriate form of the adjective.

Что у меня в шкафу*?

Здравствуйте. Меня зовут Елена Борисовна Максимова, и я хочу сказать вам, что у меня в шкафу. У меня [*light blue*] ____________________ джинсы. Кроме того, у меня [*red*] ________________ платье и [*green*] ________________ туфли. У моего мужа [*old*] ____________________ [*black*] ________________ брюки и [*white*] ______________ рубашка. У него также [*yellow*] ____________ галстук. Мой муж спортсмен, и поэтому у него также [*good*] ________________ [*new*] ________________ кроссовки. Наконец у него [*gray*] _________________ пальто. Мы с мужем очень модная пара!

***в шкафу́** = *in the closet*

13. (Personal inventory) List five items that you have in your closet, and five pieces of furniture you have in your house, apartment, or dorm room. Put a color adjective next to each item.

В шкафу	**Дома**
1. ____________________________	1. ____________________________
2. ____________________________	2. ____________________________
3. ____________________________	3. ____________________________
4. ____________________________	4. ____________________________
5. ____________________________	5. ____________________________

Write a short paragraph entitled **Что у меня в шкафу?** or **Что у меня в квартире (в комнате, в доме)?**

____

____

____

____

____

____

Имя и фамилия: ____ *Число:* ______________________

14. (Vocabulary—lying, standing, hanging) Fill in the blanks with **лежит/лежат, стоит/стоят,** or **висит/висят.**

а. — У нас на стене _____________________________ ковёр.

— У меня такой же ковёр. Только он ____________________ на полу.

б. — В какой комнате у вас ____________________ телевизор?

— Он __________________________ у нас в большой комнате.

в. Я вижу, что у вас ____________________________ икона.

г. — Где ________________________ ваш паспорт?

— Он _________________________ на столе.

д. Я вижу, что у вас в гостиной ______________________ красивое кресло.

15. (General review) In the following short passage, fill in the blanks with the correct ending. Write in the first letter of the case you are using. The first two blanks are filled in for you.

Я живу в студенческ*ом* (Р) общежити*и* (Р) на десят______ этаж______. У меня в комнат______ есть дв_____ кроват______ и дв______ ламп______. У нас нет цветн______ телевизор______, но есть чёрно-бел______ телевизор______.

Наша семья

Числительные

Повторение числительных 1–100 000

А. Напиши́те телефо́нные номера́ э́тих люде́й:

Ди́ма	____________________	Ма́ша	____________________
Михаи́л	____________________	Анна	____________________
Ка́тя	____________________	Жа́нна	____________________
Яша	____________________	Тома́с	____________________
Ки́ра	____________________	Макси́м	____________________
Игорь	____________________	Серге́й	____________________
Ле́на	____________________	Алекса́ндр	____________________
Ири́на	____________________	Дми́трий	____________________

Б. Ско́лько сто́ит...? Напиши́те, ско́лько сто́ят э́ти ве́щи:

1. Прое́зд в авто́бусе, в тролле́йбусе ____ ру́бль, ____ копе́ек
2. Йо́гурт «Стро́нгмант» ту́тти-фру́тти ____ рубля́, ____ копе́ек
3. Кока-Ко́ла, 0,33 л, ж/ба́нка ____ рубля́, ____ копе́ек
4. Майоне́з «Хе́лманс», 250 гр ____ рубле́й, ____ копе́ек
5. Ко́фе, порошо́к, 100 гр. ____ рубле́й, ____ копе́ек
6. Аудиокассе́та «Максе́лл» UD 90 ____ рубле́й, ____ копе́ек
7. Биле́т в кинотеа́тр ____ рубле́й
8. Рома́н «Война́ и мир» Л. Толсто́го ____ рубле́й
9. Биле́т в ночно́й клуб ____ рубле́й
10. Компа́ктный диск ____ рубле́й
11. Цветно́й телеви́зор «Ви́тязь» 34 см. ____ рубле́й
12. Тури́сти́ческая пое́здка в Пари́ж (8 дней) ____ рубле́й
13. Но́вый компью́тер «Делл», после́дняя моде́ль ____ рубле́й
14. Автомоби́ль «Ла́да» 21099 ____ рубле́й
15. Трёхкомнатная кварти́ра ____ рубле́й

Фонетика и интонация

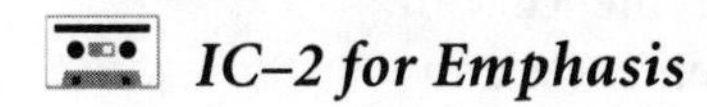

IC–2 for Emphasis

Up until now you have seen IC–2 in questions with a question word, imperatives, and in nouns of address:

Мэ́ри, скажи́, где живу́т твои́ роди́тели?

IC–2 is also used in place of IC–1 in normal declarative sentences to provide emphasis.

IC–1 (no emphasis):

Твои́ роди́тели не ста́рые.

IC–2 (emphasis on **не старые**):

Твои́ роди́тели совсе́м не ста́рые.

At first you may perceive that IC–2 conveys more a feeling of anger than emphasis. However, for speakers of Russian IC–2 is not associated with anger or annoyance.

A. Mark the dialog below, placing a "2" over the stressed word of each segment that you think should have IC–2 intonation. Then listen to the tape to see if you were correct.

2 2 — Ве́ра, кто э́то? Твой оте́ц?	2 2 — Что ты! Это мой де́душка!

— Жа́нна, кто э́то на фотогра́фии?

— Это мой де́душка.

— Но он совсе́м не ста́рый! Ско́лько ему́ лет?

— Ему́ се́мьдесят. А вот фотогра́фия ба́бушки.

— Ба́бушка то́же молода́я!

— Что ты! Ей то́же се́мьдесят!

Б. Listen to the following sentences and determine which have normal declarative intonation (IC–1) and which are emphatic (IC–2). Mark the stressed word in each sentence with the appropriate intonation number and punctuate accordingly: a period for IC–1 sentences and an exclamation point for IC–2.

1	2
Это мой оте́ц.	Это мой *оте́ц* [а не брат]!

1. — У вас больша́я семья́ ... | А у нас ма́ленькая семья́

   — Нет | Что вы | У нас ма́ленькая семья́: | дво́е дете́й

2. Оте́ц преподаёт матема́тику в университе́те

   Он та́кже преподаёт фи́зику

3. Ве́ра уже́ не у́чится в шко́ле | Она́ у́чится в университе́те

4. — Это на́ша ку́хня

   — У меня́ така́я же ку́хня

5. Вот наш дом | Это на́ша больша́я ко́мната | А э́то на́ша ма́ленькая ко́мната

Устные упражнения

Oral Drill 1 (Vocabulary—family members) Look at this family tree. Listen to the statement and answer the accompanying question.

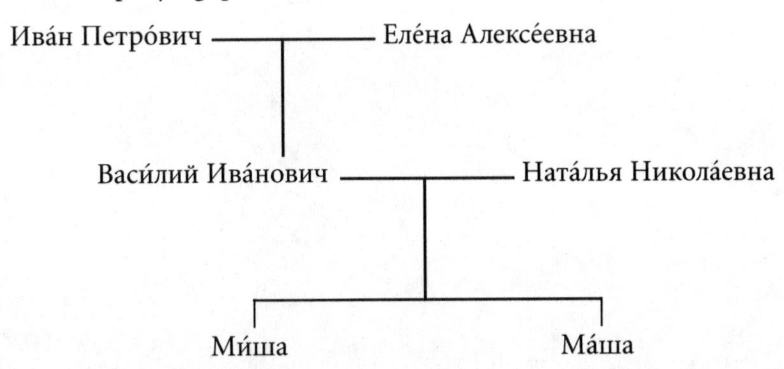

Вот Ива́н Петро́вич. А кто Васи́лий Ива́нович? → Васи́лий Ива́нович его́ сын.

Вот Васи́лий Ива́нович. А кто Ма́ша?
Вот Ма́ша. А кто Ми́ша?
Вот Ми́ша. А кто Ната́лья Никола́евна?
Вот Ната́лья Никола́евна. А кто Васи́лий Ива́нович?
Вот Васи́лий Ива́нович. А кто Ива́н Петро́вич?
Вот Ива́н Петро́вич. А кто Ми́ша?
Вот Ми́ша. А кто Ма́ша?
Вот Ма́ша. А кто Еле́на Алексе́евна?
Вот Еле́на Алексе́евна. А кто Ива́н Петро́вич?
Вот Ива́н Петро́вич. А кто Ма́ша?
Вот Ма́ша. А кто Васи́лий Ива́нович и Ната́лья Никола́евна?
Вот Васи́лий Ива́нович и Ната́лья Никола́евна. А кто Ми́ша и Ма́ша?

Oral Drill 2 (Vocabulary—family members) Name the equivalent family member of the opposite sex.

Это её мать. → А это её оте́ц. Это твой сын. → А э́то твоя́ дочь.

Это...

её ба́бушка, его́ брат, моя́ племя́нница, их тётя, наш оте́ц, наш де́душка, ва́ша ма́ма, твоя́ вну́чка, мой дя́дя, её внук, его́ двою́родный брат, наш племя́нник, твоя́ двою́родная сестра́, её мать, их дочь

Oral Drill 3 (Vocabulary—family members and review of genitive after нет) Respond that the people mentioned do not have the family members in the prompt.

У Ма́ши есть сестра́? ⟶ Нет, у Ма́ши нет сестры́.

У Бо́ри есть мла́дший брат?

У Анто́на есть дя́дя?

У Анны есть ба́бушка?

У Ки́ры есть сын?

У Са́ши есть де́ти?

У Же́ни есть ста́ршая сестра́?

Oral Drill 4 (Family vocabulary and review of regular nominative plurals) When asked where a certain person is, say that they're all here.

Где ба́бушка? ⟶ Все ба́бушки здесь.

Где ...?

де́душка, дя́дя, тётя, ма́ма, па́па, внук, вну́чка, племя́нница, племя́нник, оте́ц

Oral Drill 5 (Family vocabulary and irregular nominative plurals) When asked where a certain person is, say that they're all here.

Где сестра́? ⟶ Все сёстры здесь.

Где ...?

брат, мать, дочь, сын, ребёнок, двою́родная сестра́, двою́родный брат

Oral Drill 6 (7.1 люби́ть) Answer the question affirmatively. Nouns after **люби́ть** are in the accusative case (direct objects), verbs are in the infinitive.

Иван любит спорт? ➞ Да, он любит спорт. Вы любите учи́ться? ➞ Да, мы любим учи́ться.

Ка́тя и Са́ша лю́бят чита́ть?

Ты лю́бишь ру́сский язы́к?

Брат Ки́ры лю́бит шко́лу?

Вы лю́бите у́жинать в рестора́не?

Ты лю́бишь чита́ть газе́ту?

Его́ тётя лю́бит компью́теры?

Oral Drill 7 (7.2 учи́ться) When asked if the following students are in high school, answer that they are already in college.

Ты у́чишься в шко́ле? ➞ Нет, я уже́ учу́сь в университе́те! Ко́ля у́чится в шко́ле? ➞ Нет, он уже́ у́чится в университе́те!

Ми́ша у́чится в шко́ле?
Вы у́читесь в шко́ле?
Твои́ друзья́ у́чатся в шко́ле?
Ты у́чишься в шко́ле?
Твоя́ сестра́ у́чится в шко́ле?
Их сын у́чится в шко́ле?
Дочь Ольги Никола́евны у́чится в шко́ле?
Ва́ля и Анто́н у́чатся в шко́ле?
Эти де́ти у́чатся в шко́ле?
Ты у́чишься в шко́ле?

Oral Drill 8 (7.3 родили́сь, вы́росли) Ask the following people where they were born and grew up.

Анна ➞ Анна, где ты родила́сь? Ни́на Никола́евна ➞ Ни́на Никола́евна, где вы родили́сь? вы́росли ➞ Ни́на Никола́евна, где вы вы́росли?

Бори́с, Ки́ра, Анна Бори́совна, Ма́ша, Ми́ша, Ма́ша и Ми́ша, Вади́м, Валенти́на

Oral Drill 9 (7.4 Age and dative case of pronouns) Ask how old the people in the snapshot are.

На фотогра́фии я ви́жу ва́шего отца́.	→	Ско́лько ему́ лет?
На фотогра́фии я ви́жу твоего́ дру́га.	→	Ско́лько ему́ лет?

На фотогра́фии я ви́жу...

твою́ сестру́, ва́шу тётю, ва́шего де́душку, твою́ ба́бушку, их дете́й, ма́му и па́пу, Ки́ру и Андре́я, их племя́нницу, их племя́нника

Oral Drill 10 (7.4–7.5 Age) Ask the ages of the following people.

она́/два	→	Ей два го́да?

он — 14
мы — 21
вы — 63
они́ — 13
ты — 6
она́ — 44

Oral Drill 11 (7.4–7.5 Age) Ско́лько им лет? Each person in the list is one year older than the previous one. The first person is 21. Follow the pattern.

Вот Ива́н Петро́вич.	→	Ему́ два́дцать оди́н год.
Вот Людми́ла Никола́евна.	→	Ей два́дцать два го́да.
Вот мои́ друзья́.	→	Им два́дцать три го́да.

Вот...

Анна Серге́евна
мой брат
его́ тётя
её сосе́дки по ко́мнате
его́ сосе́д по ко́мнате
мой большо́й друг
мои́ друзья́
Вале́рий Петро́вич

Имя и фамилия: ______________________________ *Число:* ____________________

Oral Drill 12 (7.5 Numbers of brothers and sisters) State that the person has the number of brothers and sisters given in the prompt.

У Са́ши есть бра́тья и́ли сёстры?/два и ноль	→	У Са́ши два бра́та, но нет сестёр.
У отца́ есть бра́тья и́ли сёстры?/оди́н и две	→	У отца́ оди́н брат и две сестры́.

У ма́мы... (два и две)

У вну́ка... (ноль и две)

У Алёши... (три и ноль)

У Ле́ны... (пять и ноль)

У Ви́ти... (два и три)

У Серёжи... (два и одна́)

У отца́... (оди́н и две)

У вну́чки... (два и две)

У дру́га... (оди́н и одна́)

У Са́ши... (три и одна́)

У Со́ни... (ноль и четы́ре)

У Тама́ры... (ноль и пять)

Oral Drill 13 (7.5 Number of children) Use the prompts to tell how many children there are in the families asked about.

Ско́лько детей в семье́ Ка́ти и Вади́ма? — два	→	У них дво́е детей.

Ско́лько детей в семье́ ...?

... Ки́ры и Ди́мы — три

... Яши и Со́ни — оди́н

... Та́ни и Ми́ши — четы́ре

... Ма́ши и То́ли — пять

... Анны и Са́ши — два

Oral Drill 14 (7.5 Having and not having brothers, sisters, and children) State that the person doesn't have the family members asked about.

> У Ве́ры есть бра́тья? ➞ Нет, у неё нет бра́тьев.
> У Кири́лла есть сёстры? ➞ Нет, у него́ нет сестёр.
> У Зи́ны есть де́ти? ➞ Нет, у неё нет дете́й.

У Макси́ма есть сёстры?

У Ма́ши есть бра́тья?

У Еле́ны Макси́мовны есть де́ти?

У Кири́лла есть бра́тья?

У Тама́ры Анато́льевны есть де́ти?

У ма́тери есть сёстры?

У вну́чки есть бра́тья?

У тёти есть де́ти?

У де́душки есть бра́тья

У отца́ есть сёстры?

Oral Drill 15 (7.6 Accusative case of pronouns) Answer "yes" to the questions, replacing nouns with pronouns.

> Вы зна́ете Ма́шу? ➞ Да, мы её зна́ем.
> Вы чита́ете газе́ту? ➞ Да, мы её чита́ем.
> Вы чита́ете газе́ты? ➞ Да, мы их чита́ем.

Вы слу́шаете класси́ческую му́зыку?

Вы зна́ете Макси́ма?

Вы чита́ете э́ту кни́гу?

Вы лю́бите ру́сский язы́к?

Вы лю́бите му́зыку?

Вы лю́бите джаз?

Вы зна́ете нас?

Вы зна́ете меня́?

Вы зна́ете Ольгу?

Вы чита́ете журна́л?

Oral Drill 16 (7.7–7.8 зову́т + accusative case) When your friends ask you the name of a close relative, respond "You mean, you don't know my brother's (sister's, mother's ...) name?!"

Это ваш брат? Как его́ зову́т? → Вы не зна́ете, как зову́т моего́ бра́та?

Это ваш де́душка? Как его́ зову́т?

Это ваш ста́рший брат?

Это ва́ша мла́дшая сестра́?

Это ваш оте́ц?

Это ва́ша племя́нница?

Это ва́ша ба́бушка?

Это ваш де́душка.

Это ва́ша ста́ршая дочь?

Это ва́ша мать?

Это ваш мла́дший сын?

Oral Drill 17 (7.8 Accusative case) Ask your friend if s/he knows your friends and relatives.

мой друг	→	Ты зна́ешь моего́ дру́га?
моя́ тётя	→	Ты зна́ешь мою́ тётю?

мой оте́ц

моя́ ма́ма

мой но́вый друг

моя́ ста́ршая сестра́

мой мла́дший брат

мой па́па

моя́ ба́бушка

моя́ тётя

моя́ племя́нница

моя́ мать

мой де́душка

мой дя́дя

мой племя́нник

Имя и фамилия: ______________________________ *Число:* ______________

Oral Drill 18 (7.9–7.10 о + prepositional case — *about,* and prepositional plural) Say that you are thinking about the person mentioned in the prompt.

э́тот ме́неджер → Я ду́маю об э́том ме́неджере.

э́тот ру́сский писа́тель
зубно́й врач
серьёзный журнали́ст
э́та домохозя́йка
у́мный программи́ст
ваш де́душка
кита́йский музыка́нт
её оте́ц
мой брат
его́ дя́дя
его́ дочь
на́ша ма́ма
их мать
его́ сын
на́ши друзья́
э́ти студе́нты
э́ти интере́сные преподава́тели
их но́вые сосе́ди
э́ти ру́сские писа́тели
серьёзные журнали́сты
э́ти домохозя́йки
хоро́шие ме́неджеры

Oral Drill 19 (7.10 Prepositional pronouns) Say that Sima talks about everybody.

Си́ма говори́т о ма́ме? → Да, она́ говори́т о ней. Си́ма говори́т о вас? → Да, она́ говори́т обо мне.

Си́ма говори́т...
об отце́
о роди́телях
о сестре́
о бра́те
о племя́нницах
о племя́ннике
о вас
обо мне
о нас
о тебе́
о де́тях

Письменные упражнения

1. (7.1 любить) Спорт. Fill in the blanks in the passage about sports with the correct present tense forms of **любить.** Answer the question at the end of the paragraph in a complete sentence. Mark the stress on the words you write in.

Семья Василия Ивановича и Натальи Николаевны очень ______________________________ спорт. Василий Иванович и его сын ______________________________ теннис, а Наталья Николаевна ____________________ хоккей. А вы __________________ спорт?

____.

Имя и фамилия: ______________________________ *Число:* ______________

2. (7.2 Verb conjugation) Fill in the blanks with the correct present-tense forms of the verb indicated. Mark stress on the words you write in.

а. **учиться**

— Володя, где ты ______________________________?

— Я ______________________________ в университете.

— А твои сёстры тоже ______________________________ там?

— Старшая сестра ______________________________ в институте иностранных языков,

а младшая ______________________________ в школе.

— А я думала, что вы все ______________________________ в университете.

— Как видишь, мы ______________________________ в разных местах.

б. **читать**

— Что ______________________________ эти студенты?

— Лара ______________________________ «Аргументы и факты», а Вадим ______________________________

французский журнал. А что вы ______________________________?

— Мы ______________________________ «Вопросы литературы».

в. **писать**

— Соня, ты часто ______________________________ письма?

— Нет, я довольно редко ______________________________. А моя подруга часто ______________

______________________________ домой. И её родители тоже часто ______________________________.

г. **смотреть**

— Кто ______________________________ телевизор?

— Паша всегда ______________________________ новости, а его сёстры ______________________________

фильмы по телевизору. Я ______________________________ телевизор очень редко. А вы что

______________________________ по телевизору?

— Я никогда не ______________________________ телевизор.

3. (7.3 родился, вырос) Биография. Fill in the blanks.

родился	родилась	родились
вырос	выросла	выросли

а. Мария Александровна ______________________________ в Москве, а ______________________________ в Киеве. Её муж Сергей Иванович ________________ в Ялте, а __________________ в Санкт-Петербурге. Теперь они живут в Санкт-Петербурге, где ____________________________ их дети.

б. — Мария Александровна, где вы ______________________________?

— Я ____ в Москве.

— И там ____?

— Нет, я ____ в Киеве.

в. — Где ты ____?

— Я ____________________________ ______________________________.

— И там ____?

— ____________ , я ____________________ ______________________.

— А твои родители где ____________________ и ________________?

— ____

____.

4. (7.4 Dative case of pronouns; age) Fill in the blanks with the needed pronouns.

а. Это ваша бабушка? Сколько ____________ лет?

б. Это ваш племянник? Сколько ___________ лет?

в. Это ваш брат? Сколько ____________ лет?

г. Это ваши сёстры? Сколько ____________ лет?

д. Это ты? Сколько ____________ лет?

е. Это вы? Сколько ____________ лет?

ж. Это ваши родители? Сколько ____________ лет?

з. Это ваша тётя? Сколько ____________ лет?

и. Это ты и сестра? Сколько ____________ лет?

к. Это ваша дочь? Сколько ____________ лет?

Имя и фамилия: ______________________ *Число:* ______________

5. **(7.5 Number of people in the family) Вопросы о семье.** Answer the questions in complete sentences, following the models.

Сколько детей у Василия Ивановича? (2) → У него двое детей. Сколько братьев у Сони? (2) → У неё два брата.

а. Сколько сестёр у Кирилла? (2)

____

б. Сколько братьев у Марии? (4)

____

в. Сколько братьев и сестёр у вашего папы?

____

г. Сколько братьев и сестёр у вашей мамы?

____

д. Сколько у вас братьев и сестёр?

____

е. Сколько детей у Анны Фёдоровны? (4)

____

ж. Сколько детей у Нади и Вадима? (1)

____

з. Сколько детей у Бориса Павловича? (3)

____

и. Сколько детей у ваших родителей?

____

к. Сколько у вас детей?

____

6. (7.5 Number of people in the family) Семья. Give the Russian equivalents of these sentences.

а. "How many brothers and sisters do you have?"

____

"I have two sisters and a brother."

____

б. "How many children are there in your family?"

____

"There are three children in our family: myself and two brothers."

____

в. "Does Sasha have brothers and sisters?"

____

"No, he doesn't have any brothers and sisters."

____

7. (7.4–7.7 Age and names) Диалоги. Express the following dialogs in Russian, supplying information about yourself in the blanks in **Part A**.

а. "What's your name?" (Use **ты** form)

____

"My name is ___."

____

"How old are you?" "I'm ___ years old. And these are my friends. They're eighteen years old. Their names are Kira and Masha."

____

____

____

б. "What are your names?"

____

"Our names are Zina and Kirill."

____

"How old are you?"

____

"We're twenty-one years old."

____

8. (7.4–7.8 О семье.) For each cue below, write a four-line dialogue following the model.

младший брат — Саша, 10	— Как зовут вашего младшего брата? — Его зовут Саша. — Сколько ему лет? — Ему 10 лет.

старший брат — Володя, 19 ____________________

____

____

____

старшая сестра — Лена, 23 ____________________

____

____

____

отец — Валерий Михайлович, 45 ____________________

____

____

____

мать — Мария Петровна, 41 ____________________

____

____

____

бабушка — Лидия Максимовна, 68 ____________________

____

____

____

дедушка — Михаил Константинович, 72 ____________________

____

____

____

9. (7.9 о vs. об) Fill in the correct form of **о** or **об.**

а. ________ нашем новом преподавателе

б. ________ этой серьёзной студентке

в. ________ интересной газете

г. ________ его умном друге

д. ________ их весёлом уроке русского языка

е. ________ её младшем брате

10. (7.9-7.10 Prepositional case) Разговор о семье. Fill in the blanks with the words given.

— Кто это на ______________________________?
эта фотография

— Это наша семья.

— А я ничего не знаю ________ ______________________.
о/об твоя семья

— Да ________ чём рассказать!
о/об

— Ну, расскажи ________ ______________________.
о/об отец

— Ладно. Папа преподаёт* ________ ______________________________.
в/на институт иностранных языков

Мама работает ________ ______________________________.
в/на Центральная библиотека

— Я ничего не знаю ________ ______________________________.
о/об эта библиотека

Там, наверное, интересная коллекция.

* **преподаёт** = *teaches*

11. (7.9 Prepositional case) Answer the following questions, using pronouns.

Вы часто говорите о политике? → Да, мы часто говорим о ней.

а. Американские студенты часто говорят о фильмах?

____

б. Ваши друзья разговаривают о работе?

____

в. Ваши родители много спрашивают о ваших курсах?

____

г. Они спрашивают о курсе русского языка?

____

д. О чём вы часто говорите?

____

е. О ком вы часто говорите?

____

ж. Кто о вас часто говорит?

____

Имя и фамилия: ______________________ *Число:* ______________

12. (7.9–7.10 о/об + prepositional case) Create 10 meaningful sentences. Do not change word order, but do make the verbs agree with their subjects and put correct case endings on all modifiers and nouns.

я		говорить		политика
мы		думать		наша семья
американские студенты		спрашивать	о	новые курсы
наш преподаватель	(не)	разговаривать	об	работа
профессора		рассказывать		родители
вы				деньги
				этот университет

а. ______________________

б. ______________________

в. ______________________

г. ______________________

д. ______________________

е. ______________________

ж. ______________________

з. ______________________

и. ______________________

к. ______________________

13. (General review) Create meaningful sentences by filling in the blanks with the correct form of words listed below. Mark the stress on the words you write in.

Verbs	говорить, любить, думать
Modifiers and Nouns	младший брат, моя старшая сестра, наша семья, спорт
Pronouns	кто, что, он, она

а. — О ________________ вы ________________________?

— Мы ___________________ о ______________________.

б. — Вы ____________________ ________________________?

— Да, я ______ очень ____________________________.

в. Мои друзья _________________________________, что

американцы __________________ ____________________.

г. — Расскажите о вашей семье.

— Да о чём рассказать! Я очень __________________________

______________________.

д. Ты знаешь ______________________________________?

Она ____________________________, что вы хорошо понимаете по-русски.

Имя и фамилия: ______________________ *Число:* ______________

14. (General review) Вопросы о себе. Answer these questions in complete sentences.

а. Как вас зовут?

____

б. Кто вы по профессии?

____

в. Где вы работаете?

____

г. Где вы родились?

____

д. Вы там выросли?

____

е. Где живут ваши родители?

____

ж. Кто они по профессии?

____

з. Где они работают?

____

и. Сколько у вас братьев и сестёр?

____

к. Как их зовут?

____

л. Они работают или учатся? Где?

____

м. Сколько у вас детей?

____

н. Как их зовут?

____

о. Они учатся или работают? Где?

____

15. (General review) Письмо. Fill in the blanks in the following letter to a friend.

Дорогой Павел!

Спасибо за интересное письмо. Ты ______________________________, что
say

ты хочешь знать больше ______________________________________. У нас
about our family

_________________________________ семья: я, сестра, отец и мать. _________________________
small Brothers

у меня нет. ________________________________ Пётр Дмитриевич. ___________________________
My father is named He is fifty-two years old

____.

Ты, наверное, хочешь знать, ____. Он врач, работает
what he does for a living

____. Папа у меня очень _________________________
in a big hospital serious

и думает только ____________________________________, но я ____________________________.
about work love him a lot

____ Софья Петровна.
Mother is named

Она ____________________________ и ______________________________
was born grew up

____________________________________ ____.
in a small city in Latvia

Сейчас немного ____.
about my sister

____ и
She's seventeen

________________________________ в ______________________ классе. Она очень хочет
she studies tenth

____. Сестра у меня очень
to study at the university

__________________________ и ______________________________. В следующем письме я
bright nice

___________________ рассказать ____.
want about our city

____
Yours

Анна

Имя и фамилия: ______________________ *Число:* ______________

16. (General review) Интервью. Half of the transcript of an interview has been lost. Reconstruct the interviewer's part.

а. — ______________________________

— Меня зовут Кирилл Павлович.

б. — ______________________________

— Мне сорок один год.

в. — ______________________________

— Я бухгалтер.

г. — ______________________________

— Я работаю на большом заводе.

д. — ______________________________

— Я думаю, что это интересная работа.

е. — ______________________________

— У меня двое детей: сын и дочь.

ж. — ______________________________

— Он учится в первом классе.

з. — ______________________________

— Она учится в пятом классе.

и. — ______________________________

— Да, они любят учиться.

к. — ______________________________

— Мою жену зовут Катя.

л. — ______________________________

— Ей тридцать пять лет.

м. — ______________________________

— Она работает в лаборатории.

н. — ______________________________

— Пожалуйста. До свидания.

В магазине

Фонетика и интонация

Soft Consonants [д], [т], [л] and [н]

Most Russian consonant letters can be pronounced *hard* (nonpalatalized) or *soft* (palatalized). In the written language one can tell whether a consonant is hard or soft by looking at the *following* letter, as shown below.

∅	а	э	о	у	ы	indicate that the *preceding* consonant is *hard*
ь	я	е	ё	ю	и	indicate that the *preceding* consonant is *soft*

The underlined consonants in the following words are soft.

хотели пять где день знали рублей недавно

Pronouncing a soft consonant is like saying the consonant and the [y] of *you* at the exact same time.

For [д] and [т], softness also results in some extra friction. This may sound to you like a barely audible sound similar to English [s] or [z] . Thus the first four words listed above may *sound* to you like

хот^{s}ели пять^{s} гд^{z}е д^{z}ень

The pronunciation of the *vowel preceding* the soft consonant is also affected.

Soft [л] and [н]

Softness has a drastic effect on [л] and [н]. Hard Russian [л] and [н] differ only slightly from [l] and [n] of American English. But for soft [л] and [н], the tip of the tongue rests behind the *lower* teeth, while the blade, or flat surface, of the tongue is arched up against the palate (the roof of the mouth). This contortion has a noticeable effect not only on the soft [л] or [н] itself, but also on the preceding vowel.

А. Listen to these contrastive syllables.

	Hard	Soft		Hard	Soft
1.	та	тя	13.	ла	ля
2.	тэ	те	14.	лэ	ле
3.	ты	ти	15.	лы	ли
4.	то	тё	16.	ло	лё
5.	ту	тю	17.	лу	лю
6.	ат	ать	18.	ал	аль
7.	да	дя	19.	на	ня
8.	дэ	де	20.	нэ	не
9.	ды	ди	21.	ны	ни
10.	до	дё	22.	но	нё
11.	ду	дю	23.	ну	ню
12.	ад	адь	24.	ан	ань

Б. Circle all the soft consonants in the dialog reprinted below. Then listen to the words on tape and repeat as closely as possible, paying special attention to soft [д], [т], [л], and [н]. Remember that [е] reduces to a sound close to [и] when unstressed.

— Пе́тя, где у вас мо́жно купи́ть ту́фли?

— В универма́ге и́ли в магази́не «Обувь».

— Дава́йте пойдём туда́ вме́сте.

— Хорошо́. Или пойдём в «Гости́ный двор». Там вы́бор неплохо́й.

Имя и фамилия: ______________________________ *Число:* ______________

В. Look at the text below taken from an announcement made over a store's public address system. As you listen to the tape, fill in the appropriate vowel in the blanks: **и** after soft consonants, **ы** after hard consonants. Key words are glossed so that you can follow the gist of the announcement.

Образе́ц:	You hear:	**хо[д^з]ил**	You hear:	**ты**
		↓		↓
	You write:	**ход *и* л**	You write:	**т*ы***

respected / is open
Уважаем__е покупател___! На первом этаже нашего магаз___на откр___т новый

will find / wide / toys
детск___й отдел. В нём вы найдёте широк___й ассорт___мент кн___г, игрушек, и

games / items / on sale
игр, а также детские принадлежност___. В продаже сегодня — видеокассет___

cartoons
с зап___сями мультф___льмов Уолта Д___снея: «М___кки Маус», «Аладд___н» и

«Ч___п и Дейл».

Г. Listen to the following syllables. Pay attention to the quality of the vowel immediately *preceding* the hard and soft consonants. Imitate as closely as possible.

	Hard	Soft		Hard	Soft		Hard	Soft
1.	ат	ать	6.	ал	аль	11.	ан	ань
2.	ет	еть	7.	ел	ель	12.	ен	ень
3.	ыт	ыть	8.	ыл	ыль	13.	ын	ынь
4.	от	оть	9.	ол	оль	14.	он	онь
5.	ут	уть	10.	ул	уль	15.	ун	унь

Д. Circle the consonants that you expect to be soft in the italicized words. Then listen to the tape, paying particular attention to the vowel preceding the soft consonant, if there is one. Imitate as closely as possible.

— *Ко́ля, Се́ня! Где* вы *бы́ли*?

— Мы *ходи́ли* в «Дом *кни́ги*».

— Мне *сказа́ли*, что там *откры́ли* но́вый отде́л.

— *Откры́ли. То́лько* мы ничего́ не *купи́ли*. Мы *хоте́ли купи́ть Пе́те* кни́ги на *день рожде́ния*.

— Ну и что?

— Мы *де́ньги забы́ли* до́ма.

Имя и фамилия: ______________________ *Число:* ______________

IC–3 And Pauses

Most longer sentences are broken up into breath groups. Each breath group has its own intonation contour.

А. Listen to the breath groups in these sentences.

Я неда́вно была́ в «До́ме кни́ги», | но ничего́ интере́сного там не уви́дела.

Мне сказа́ли, | что там интере́сные ве́щи.

Понима́ешь, | на днях моя́ сосе́дка по ко́мнате | там купи́ла Замя́тина.

The non-final breath groups in each sentence are marked by IC–3, the same intonation found in yes–no questions. The final breath group is marked by IC–1, the intonation characteristic of simple declarative sentences.

Б. Now listen to the following sentences.

Мы бы́ли в Росси́и, | на Украи́не | и в Белору́ссии.

Мы хоте́ли купи́ть руба́шку, | брю́ки, | перча́тки | и ту́фли.

As you can see, each item in a series forms its own breath group marked by IC–3. The final item of the series is marked by IC–1.
In short, Russians often use IC–3 on non-final breath groups before a pause. IC–1 is used on the final breath group at the end of the sentence.

B. Listen to the utterances on tape. Mark the break between breath groups in the italicized sentences. Then mark the intonation contours for both groups by placing the appropriate number over the stressed syllable.

3	1
У нас есть кварти́ра,	но нет маши́ны.

— Пётя, *я хочу́ сде́лать на́шей сосе́дке Ма́ше пода́рок на день рожде́ния.* Что ты мне посове́туешь ейкупить?

— Мо́жет быть, кни́гу? *Ведь недалеко́ от на́шего до́ма есть большо́й кни́жный магази́н. Я был там то́лько вчера́ и купи́л вот эти но́вые кни́ги по иску́сству. Вот авангарди́сты, импрессиони́сты и абстракциони́сты.*

— Каки́е краси́вые кни́ги!

— И о́чень дёшево сто́или: *вот эта кни́га сто́ила пятьдеся́т рублей, а э́ту я купи́л за со́рок.*

— Это совсе́м не до́рого! А куби́сты бы́ли?

— *Они́ бы́ли ра́ньше, а тепе́рь их уже́ нет.*

— Всё равно́, *кни́га — иде́я хоро́шая.*

— *Если хо́чешь, мы мо́жем пойти́ вме́сте за́втра у́тром.*

— Дава́й.

Имя и фамилия: ______________________ *Число:* ______________

Устные упражнения

Oral Drill 1 (8.1 Past tense of хоте́ть) Say that the people in question wanted to buy a present.

Вы → Вы хоте́ли купи́ть пода́рок

мы, Вади́м, Анна, роди́тели, ты (Со́ня), ты (Серге́й), Ма́ша, де́ти, я

Oral Drill 2 (8.1 Past tense) Change the present tense sentences to past tense.

Аня ду́мает купи́ть пода́рок. → Аня ду́мала купи́ть пода́рок.

Аня зна́ет, где носки́.

Пётр Ива́нович живёт в Санкт-Петербу́рге.

На́ши друзья́ рабо́тают в Нью-Йо́рке.

Мы смо́трим телеви́зор.

На́ша дочь лю́бит свою́ шко́лу.

Их внук хо́чет купи́ть оде́жду.

Жена́ Ро́берта говори́т по-ру́сски.

Ро́берт смо́трит интере́сные фи́льмы.

Алла Дави́довна ду́мает купи́ть дом.

Мы все чита́ем газе́ту.

Oral Drill 3 (8.1 Past tense of -ся verbs) When asked to tell about various people, say that they were born and attended school in Moscow.

Расскажи́те мне о Ма́ше. → Ну, она́ родила́сь и учи́лась в Москве́.

Расскажи́те мне...

о ва́шем сосе́де

об э́той студе́нтке

об их роди́телях

об э́том молодо́м челове́ке

о твои́х друзья́х

об э́тих де́тях

Oral Drill 4 (8.1 Past and present tenses) You will be asked questions about what you want to do. If the cue is **сейча́с,** answer that you are doing the action now. If the cue is **вчера́**, answer that you did it yesterday.

Вы хоти́те рабо́тать в Москве́? (сейча́с) →	Мы сейча́с рабо́таем в Москве́.
Вы хоти́те чита́ть э́тот журна́л? (вчера́) →	Мы вчера́ чита́ли э́тот журна́л.

Вы хоти́те...

слу́шать пласти́нки? (сейча́с)

смотре́ть телеви́зор? (вчера́)

чита́ть газе́ту? (сейча́с)

говори́ть о поли́тике? (вчера́)

рабо́тать в библиоте́ке? (вчера́)

смотре́ть фотогра́фии? (вчера́)

слу́шать ра́дио? (вчера́)

занима́ться? (се́йчас)

Oral Drill 5 (8.2 Past tense of быть) When asked if various people have been to the store, indicate that they have.

Пе́тя был в магази́не? →	Да, он там был.

вы, сестра́ Вади́ма, Вади́м, бра́тья Ве́ры, Вале́рия Никола́евна, но́вые сосе́ди, ме́неджер

Oral Drill 6 (8.2 Past tense of быть) You are told someone or something was here. Imagine that you didn't hear what it was. Ask *who* (or *what*) *was here?*

Здесь была́ шко́ла. →	Что здесь бы́ло?
Здесь была́ ма́ма. →	Кто здесь был?

Здесь...

был па́па, бы́ли де́ти, был сви́тер, бы́ли брю́ки, была́ его́ вну́чка, был брат,

бы́ли роди́тели, бы́ли ту́фли

Имя и фамилия: ______________________ *Число:* ______________

Oral Drill 7 (8.3 Past tense of есть = был) When asked if you have certain things, say that you used to have them.

У вас есть книги? ⟶ Нет, но у меня́ бы́ли кни́ги.

У вас есть ... ?

маши́на, де́ньги, кварти́ра, большо́е окно́, компью́тер, ла́зерный

при́нтер, кассе́ты, магнитофо́н

Oral Drill 8 (8.3 Past tense of нет = не́ было and review of genitive singular) Say that the following things were not here.

но́вая маши́на ⟶ Здесь не́ было но́вой маши́ны. хоро́ший компью́тер ⟶ Здесь не́ было хоро́шего компью́тера.

большо́е окно́

но́вая шко́ла

больша́я ко́мната

наш телефо́н

чёрно-бе́лый телеви́зор

краси́вое пла́тье

ма́ленькое общежи́тие

краси́вая кварти́ра

Oral Drill 9 (8.4 ходи́л — *went and returned*) When asked if the people in question are going somewhere, say that they've already gone and come back.

Ва́дик идёт в магази́н? ⟶ Нет, он уже́ ходи́л.

Же́ня идёт в магази́н?

На́стя идёт в библиоте́ку?

Де́ти иду́т в кино́?

Ма́ма и па́па иду́т на ры́нок?

Вы идёте в кинотеа́тр?

Oral Drill 10 (8.4 пошёл - пошла́ - пошли́ — *set out*) When asked if the people in question are at a certain place, respond that they have in fact set out for the place mentioned.

Ве́ра в кинотеа́тре? ⟶ Да, она́ пошла́ в кинотеа́тр.

Пе́тя на ры́нке?

Де́ти в шко́ле?

Вале́рий в университе́те?

Со́ня на заня́тиях?

Ма́ма и па́па на рабо́те?

Oral Drill 11 (8.4 ходи́л vs. пошёл) Answer *yes* to the questions. If asked whether Masha *is* somewhere else, answer that she has gone there (and not returned). If asked whether Masha was there, answer *yes,* that she went there and has come back.

Где Ма́ша? На уро́ке? ⟶ Да, она́ пошла́ на уро́к. Где была́ Ма́ша? В кинотеа́тре? ⟶ Да, она́ ходи́ла в кинотеа́тр.

Где Ма́ша? В библиоте́ке?

Где была́ Ма́ша? На заня́тиях?

Где была́ Ма́ша? На ры́нке?

Где Ма́ша? На рабо́те?

Где Ма́ша? В кинотеа́тре?

Где Ма́ша? На конце́рте?

Где была́ Ма́ша? В магази́не?

Где была́ Ма́ша? В универма́ге?

Где Ма́ша? На филологи́ческом факульте́те?

Где Ма́ша? На заня́тиях?

Имя и фамилия: ______________________ *Число:* ______________

Oral Drill 12 (8.5 Forms of the dative) Ask how old the following people are.

Вале́рий Петро́вич ➞ Сколько лет Вале́рию Петро́вичу?

на́ш сосе́д

Анна Влади́мировна

её до́чь

э́тот но́вый студе́нт

Бори́с Дми́триевич

но́вый секрета́рь

э́та но́вая студе́нтка

но́вый продаве́ц

на́ш преподава́тель

Oral Drill 13 (8.6 Dative case for indirect objects and review of accusative case for direct objects) Tell what Kira gave to whom for **Но́вый год.**

ма́ма — сви́тер ➞ Ки́ра подари́ла ма́ме сви́тер.

па́па — руба́шка

ста́рший брат — га́лстук

мла́дший брат — кни́га

ста́ршая сестра́ — пла́тье

мла́дшая сестра́ — пласти́нка

Oral Drill 14 (8.6 по + dative) Your friend asks you if you like a certain subject. Respond that you do, and that you always read books on that subject.

Ты лю́бишь иску́сство? ➞ Да, и всегда́ чита́ю книги по иску́сству.

Ты лю́бишь...

биоло́гию? му́зыку? хи́мию? лингви́стику? литерату́ру? иску́сство?

Oral Drill 15 (8.6 ну́жно contructions) The people in question not only *want* to do something, they *have* to as well. Complete each sentence, as in the model.

Я хочу́ рабо́тать... → и мне ну́жно рабо́тать.

Ты хо́чешь рабо́тать...

Мы хоти́м отдыха́ть...

Она́ хо́чет посмотре́ть э́ти фи́льмы...

Я хочу́ купи́ть перча́тки...

Он хо́чет занима́ться...

Они́ хотя́т говори́ть о поли́тике...

Вы хоти́те де́лать фотогра́фии...

Я хочу́ ду́мать о материа́ле...

Oral Drill 16 (8.6 на́до constructions) Say that the following people need to relax, using **на́до** plus the dative case.

Этот ру́сский студе́нт → Этому ру́сскому студе́нту на́до отдыха́ть.

э́та но́вая студе́нтка, на́ша сестра́, Вале́рия, Вале́рий, Никола́й Алекса́ндрович, Ма́рья Васи́льевна, э́тот молодо́й челове́к, э́та симпати́чная де́вушка, на́ша но́вая сосе́дка, э́тот ста́рый продаве́ц, твой оте́ц, твоя́ мать

Oral Drill 17 (8.7 Genitive of pronouns) Your friends are looking for a number of items. When asked if they are here, respond that they *were* here earlier, but they're gone now.

Кни́ги здесь? → Они́ бы́ли здесь ра́ньше, а тепе́рь их нет.

Оде́жда здесь?

Ту́фли здесь?

Но́вый отде́л здесь?

Брю́ки здесь?

Пла́тье здесь?

Руба́шка здесь?

Пода́рок здесь?

Ры́нок здесь?

Ша́пки здесь?

Де́ньги здесь?

Имя и фамилия: ______________________________ *Число:* ______________

Oral Drill 18 (8.7 Prepositional case of pronouns) Everyone knows about everyone else. Follow the models.

> Ма́ша зна́ет о нас. ⟶ И мы зна́ем о ней.
> Мы зна́ем о Ки́ре и Макси́ме. ⟶ И они́ зна́ют о нас.

Ки́ра и Макси́м зна́ют о вас.

Вы зна́ете о Ви́кторе.

Ви́ктор зна́ет о но́вом преподава́теле.

Но́вый преподава́тель зна́ет о но́вой сосе́дке.

Но́вая сосе́дка зна́ет о на́ших роди́телях.

На́ши роди́тели зна́ют о дире́кторе магази́на.

Дире́ктор магази́на зна́ет о Же́не и Са́ше.

Же́ня и Са́ша зна́ют обо мне.

Я зна́ю о тебе́.

Ты зна́ешь о нас.

Мы зна́ем о Ма́ше.

Oral Drill 19 (8.7 Declension of кто) You are told something about *someone*, but you can't make out the entire question. Ask for more information.

Мне на́до рабо́тать. → Кому́ на́до рабо́тать?
Анто́на нет здесь. → Кого́ нет здесь?
Я ви́жу *Ве́ру.* → Кого́ вы ви́дите?
Мой брат был здесь. → Кто был здесь?
Брат говори́л *об Анто́не.* → О ком он говори́л?

Ему́ на́до рабо́тать.

Мое́й сестры́ нет до́ма.

Наш оте́ц пошёл домо́й.

Мы ду́мали *о моём сосе́де.*

Мы говори́ли об их вну́ке.

Я ви́жу *твоего́ бра́та.*

Моему́ му́жу на́до быть до́ма.

Его́ нет на рабо́те.

Я ви́жу *Са́шу.*

Ма́ма была́ на уро́ке.

У Зи́ны есть маши́на.

У меня́ есть ди́ски.

Oral Drill 20 (8.7 Declension of что) You are told something about *something*, but you can't make out the entire question. Ask for more information.

Телеви́зора здесь нет. ➞ Чего́ здесь нет?!
Я ви́жу *шко́лу.* ➞ Что вы ви́дите?!
Мы говори́м *об уро́ке.* ➞ О чём вы говори́те?!
Здесь была́ *шко́ла.* ➞ Что здесь бы́ло?!

Я ви́жу *университе́т.*

Мы говори́м *о заня́тиях.*

Здесь бы́ли *кни́ги.*

Я покупа́ю *руба́шку и брю́ки.*

Ку́ртки здесь нет.

Я ви́жу *ма́йку.*

Все говоря́т о *му́зыке.*

Я смотрю́ *но́вый фильм.*

Здесь мы ви́дели *но́вый дом.*

Здесь был *но́вый дом.*

Oral Drill 21 (Declension of modifiers, nouns, and pronouns; review) Practice declining the phrases given, answering the questions.

но́вый продаве́ц
Кто там? ➞ Но́вый продаве́ц.
Кого́ нет? ➞ Но́вого продавца́.
Кому́ вы покупа́ете пода́рок? ➞ Но́вому продавцу́.
Кого́ вы ви́дите? ➞ Но́вого продавца́.
О ком вы говори́те? ➞ О но́вом продавце́.

мой ста́рший брат, моя́ ста́ршая сестра́, э́тот симпати́чный челове́к, э́та симпати́чная де́вушка, хоро́ший студе́нт, хоро́шая студе́нтка, на́ша ма́ленькая семья́, Ли́дия Петро́вна, Дми́трий Алексе́евич, твой большо́й друг, я, он, она́, вы, они́, ты, мы

Письменные упражнения

1. **(8.1 Past tense)** Fill in the blanks in the following diary with appropriate past-tense verb forms.

завтракать, ужинать, читать, ходить, слушать, смотреть, думать, говорить, работать, заниматься, купить, забыть, быть

понедельник:	Сегодня я ________________(ate breakfast) в столовой. Днём я _________________________ (read) очень интересную книгу.
вторник:	Я весь день _________________________(thought) о политике.
среда:	Утром я 4 часа _______________________ (studied) в библиотеке. Днём я ____________________________(worked).
четверг:	Днём я ___________________ (went) на занятия. Вечером я _________________________ (went) в кино.
пятница:	Я _______________(forgot), что сегодня день рождения одного друга! Вечером я ________________________ (bought) ему подарок.
суббота:	Мой брат ______________________ (watched) телевизор весь день, а я _______________________ (listened) радио.
воскресенье:	Днём я ____________ (was) дома. Вечером мы __________________ (ate dinner) в хорошем ресторане.

2. (8.1 Past tense—Personalized)

а. Read through the following infinitive phrases, and check the ones indicating activities you did last week.

слушать радио, пластинки, лекцию, ...

читать газету, книгу, журнал, ...

смотреть телевизор, фотографии, фильм, ...

думать о политике, о друге, о матери, ...

говорить об университете, о России, ...

ходить в библиотеку, на занятия, на работу, ...

работать (где?)

заниматься (где?)

завтракать (где?)

обедать (где?)

ужинать (где?)

б. Did you do something else that you can express in Russian?

в. Now write a diary page on a separate sheet of paper, indicating one or two activities you did each day. Use Exercise 1 as a model. Do not use any verb more than twice.

3. (8.1 Present and past tense—Personalized) Немного о себе. Answer the following questions about yourself in complete sentences. Try to be honest, within the bounds of the Russian words you already know.

а. Где вы сейчас живёте?

____

____

б. Вы всегда там жили? Если нет, где вы жили раньше?

____

____

в. В каком городе вы учились в школе?

____

____

г. Вы работали, когда вы учились в школе? Где?

____

____

д. Какие книги вы читали в школе?

____

____

е. Вы вчера читали газету утром или вечером?

____

____

ж. Что ещё вы делали вчера?

____

____

з. Вы вчера ходили в библиотеку?

____

____

и. Что вы там делали?

____

____

к. Куда ещё вы ходили вчера?

____

____

4. (8.2 Past tense of быть) Fill in the blanks with the appropriate past-tense form of **быть.**

а. — Где вы ______________ вчера?

— Мы ______________ на книжном рынке.

— Кто ещё там ______________?

— Кирилл. И Марина тоже ______________.

б. — Когда ты ______________ на книжном рынке?

— Я там ______________ во вторник.

— Книги там ______________ дорогие?

— ______ и дорогие, и дешёвые книги. Там ______ одна очень интересная книга, которая стоила 35.

в. — Кто здесь ________? — Здесь ________ Маша.

г. — Кто _____ в библиотеке? — В библиотеке ________ Борис.

д. — Что здесь ________? — Здесь ________ телефон.

е. — Что здесь ________? — Здесь ________ книги.

ж. — Что здесь ________? — Здесь ________ окно.

з. — Кто здесь ______? — Здесь ______ наши родители.

5. (8.3 Past tense of есть and нет) The verbs have been left out of this questionnaire designed to determine whether people own the same things now that they owned last year (**в прошлом году**).

a. Fill in the missing verbs. In deciding whether to use **есть** or **нет,** check whether the noun is in the gentive case.

Сейчас... (есть или нет)	В прошлом году... (был, была, было, были)
у вас ________ компьютер?	у вас ________ компьютер?
у вас ________ принтер?	у вас ________ принтер?
у вас ________ радио?	у вас ________ радио?
у вас ________ машины?	у вас ________ машина?
у вас ________ телевизора?	у вас ________ телевизор?
у вас ________ гитара?	у вас ________ гитара?
у вас ________ романа Замятина?	у вас ________ роман Замятина?
у вас ________ хорошего словаря?	у вас ________ хороший словарь?
у вас ________ большое кресло?	у вас ________ большое кресло?
у вас ________ квартира?	у вас ________ квартира?

б. Answer ten of the above questions, in complete sentences.

1. ____
2. ____
3. ____
4. ____
5. ____
6. ____
7. ____
8. ____
9. ____
10. ____

Имя и фамилия: ________________________________ *Число:* ____________________

6. (8.4 ходил vs. пошёл and review of accusative case) Answer the questions, using the appropriate Russian verb.

Где была Мария? (лекция) ➞ Она ходила на лекцию. Где Максим? (дом) ➞ Он пошёл домой.

а. Где Анна? (парк)

____

б. Где Лена? (книжный рынок)

____

в. Где Вадим? (библиотека)

____

г. Где был Саша? (универмаг)

____

д. Где была Даша? (кино)

____

е. Где Маша? (лаборатория)

____

ж. Где была мама? (работа)

____

з. Где Кирилл? (книжный магазин)

____

и. Где вы были? (университет)

____

к. Где ты был(а)? (ресторан)

____

7. (8.5 Dative case forms) Give the dative case for the following phrases.

кто/что	**кому/чему**
а. наш новый друг	______________________
б. красивый чёрный галстук	______________________
в. их старый преподаватель	______________________
г. русское искусство	______________________
д. это старое общежитие	______________________
е. её синее платье	______________________
ж. эта новая библиотека	______________________
з. моя старшая сестра	______________________
и. их красивая тётя	______________________
к. новая лаборатория	______________________
л. дорогая кровать	______________________
м. один маленький мальчик	______________________
н. мама и папа	______________________
о. наша бабушка	______________________
п. ваш дедушка	______________________
р. мать и отец	______________________
с. его младший брат	______________________
т. Юрий Вадимович	______________________
у. старшая дочь	______________________
ф. этот хороший словарь	______________________

8. (8.5 Dative with age) Возраст. Prepare to introduce a group of children to a class in Moscow by writing a sentence about each child, following the model.

Ванесса, 8, её младшая сестра Карина, 7, Монреаль →   Ванессе 8 лет, а её младшей сестре Карине 7 лет. Они живут в Монреале.

Эрика, 7, её младший брат Питер, 5, Вашингтон

____

Джон, 6, его младшая сестра Анна, 5, Нью-Йорк

____

Линда, 14, её старшая сестра Элла, 15, Лос-Анджелес

____

Джером, 16, его старший брат Билл, 17, Хьюстон

____

9. (8.5 Dative for indirect objects and review of accusative for direct objects) Кто кому́ что купи́л/подари́л? Use the words in the columns to build 10 sentences indicating who bought or gave what to whom for birthdays or other holidays last year. The question marks at the bottom of some columns indicate you may substitute a word of your own choosing. Do not change word order, but do put the correct endings on all words.

Subjects	Verbs	Indirect objects	Direct objects
я		я	книги
мама		мама	рубашка
папа	купил (-а, -и)	папа	платье
родители	подарил (-а, -и)	родители	машина
брат		брат	плеер
сестра		сестра	?
?		?	

а. ____

б. ____

в. ____

г. ____

д. ____

е. ____

ж. ____

з. ____

и. ____

к. ____

Имя и фамилия: ______________________________ *Число:* ____________________

10. (8.6 по + dative) На книжном рынке. Yesterday at the book mart everyone bought books on his or her specialty. Fill in the blanks as in the example.

> Архитекторы купили книги по *архитектуре.*

а. Экономисты купили книги по ______________________.

б. Бизнесмены купили книги по ______________________.

в. Музыканты купили книги по ______________________.

г. Литературоведы купили книги по ______________________.

д. Историки купили книги по ______________________.

е. Биологи купили книги по ______________________.

ж. Психологи купили книги по ______________________.

з. Социологи купили книги по ______________________.

и. Врачи купили книги по ______________________.

к. Я купил(а) книги по ______________________.

11. (8.6 Dative with нужно, надо, and можно) You have been asked to help a group of English-speaking tourists who want to go shopping tomorrow at a store in Moscow. In preparation, write down some of the expressions you will need, using **нужно, надо,** and **можно.**

а. Where can we buy women's clothing (женская одежда)?

____

____

б. Where can we buy men's clothing (мужская одежда)?

____

____

в. This American needs to buy a shirt.

____

____

г. This Canadian (woman) needs to buy a skirt.

____

____

д. They need to buy presents.

____

____

12. (8.7 Genitive for personal pronouns) Answer the following questions in the negative, using genitive of absence, following the model.

Маша здесь?	→	Нет, её нет.
Книги здесь?	→	Нет, их нет.

а. Вадим здесь? ____

б. Кирилл здесь? ____

в. Лампа здесь? ____

г. Музей здесь? ____

д. Телефон здесь? ____

е. Дети здесь?____

ж. Лена здесь?____

Имя и фамилия: ________________________________ *Число:* ________________

13. (8.7 Prepositional of personal pronouns) Answer the questions affirmatively, using pronouns as in the models.

Анна говорит о тебе? ➞ Да, она говорит обо мне. Ты говоришь обо мне? ➞ Да, я говорю о тебе.

а. Я говорю об Олеге? ________________________________

б. Олег говорит о родителях? ________________________________

в. Родители говорят о детях? ________________________________

г. Дети говорят о дне рождения? ________________________________

д. Ты говоришь о курсах? ________________________________

е. Вы говорите об Анне? ________________________________

ж. Мы говорим о политике? ________________________________

з. Папа говорит о тебе? ________________________________

и. Преподаватель говорит о вас? ________________________________

к. Вы говорите о нас? ________________________________

14. (8.7 Declension of personal pronouns) Answer the following questions, using pronouns according to the models.

Алла говорит о Пете? ➞ Да, она говорит о нём. Петя работает там? ➞ Да, он работает там. Петя знает Аллу? ➞ Да, он её знает.

а. Книги были здесь? ________________________________

б. Саша говорил о Маше? ________________________________

в. Маша знает Сашу? ________________________________

г. Маша купила книгу? ________________________________

д. Мама купила сыну книгу? ________________________________

е. Маша говорила о Вадиме? ________________________________

ж. У Маши есть книга? ________________________________

з. Вы знаете Вадима? ________________________________

и. Вы знаете Вадима и Аню? ________________________________

к. Дети говорят о рынке? ________________________________

15. (Review) Restore the missing words in Ann's letter to Sasha about her trip to St. Petersburg. Pay special attention to the words surrounding each blank. For example, a blank in a sentence, such as **Мы ______ в Москве** requires a "location" verb, such as **были,** because of the phrase **в Москве.**

Дорогой Саша,

На прошлой неделе* мы ________________ в Петербурге, где мы ______________________ в большом общежитии. Наши ____________________ были маленькие, но уютные. Мы __________________ и обедали в общежитии, а _________________ в ресторане или в кафе. _______ вторник я ходила ________ балет, а Дейвид ______________ на футбол. Мы также ходили ____________________ — мы хотели купить ____________________. Но мы не __________________ _____________________, потому что они __________ очень дорогие!

Ваша,

Энн

*__на прошлой неделе__ = *last week*

Что мы будем есть?

Числительные

Prices in Thousands: Long and Short Forms

In 1998, Russia began a switch to "deflated" currency with three zeroes removed from the face value of each note. For example, new 5000-ruble notes came out as five-ruble notes. The currency reform revived the **копе́йка**, 100 of which make up a **рубль**.

Some Russians may casually use old-currency prices, while others switch to the new system. That, of course, has grammatical consequences, because the Russian counting system is so intertwined with grammatical case. Look at these examples.

Large-ruble quantities. When referring to prices in the thousands of rubles, Russians often drop the word **ты́сяча**. This happens mostly when Russians use "old" prices.

Number	Long form	Abbreviated form
41.500	со́рок одна́ ты́сяча пятьсо́т рубле́й	со́рок одна́ пятьсо́т
42.500	со́рок две ты́сячи пятьсо́т рубле́й	со́рок две пятьсо́т

Small ruble/kopeck quantities. When talking about smaller numbers of rubles (and kopecks), use these forms:

Number	Form
41-51	со́рок оди́н (рубль), пятьдеся́т одна́ копе́йка*
42-52	со́рок два (рубля́), пятьдеся́т две копейки*
45-55	со́рок пять (рубле́й), пятьдеся́т пять копе́ек

*In fact, most kopeck prices are rounded off to the nearest 5 or 10, which makes these forms rarer in spoken Russian.

Read aloud the menu items below. Use both the new and the old prices. Then listen to the tape to see if you were correct.

	ста́рая цена́	**но́вая цена́**
Борщ украи́нский	6.600	(6-60)
Котле́ты по-ки́евски	21.000	(21-00)
Бифштро́ганов	18.500	(18-50)
Цыпля́та табака́	22.500	(22-50)
Вино́ «Цинанда́ли»	12.700	(12-70)
Ко́фе	7.400	(7-40)

Посетите Голоса в WWW

For the latest information on Russian currency, see the **Голоса** Web page: **http://www.gwu.edu/~slavic/golosa.htm**.

Имя и фамилия: ______________________________ *Число:* ______________

Фонетика и интонация

Review of Vowel Reduction: Letters о, а, and ы

As you have seen, Russian unstressed vowel letters are reduced. Although vowel reduction takes place in English as well, the two systems differ.

English:

2 syllables before stress *Prominent*	1 syllable before stress *Not prominent*	Stressed syllable *Very prominent*	Any syllable after stress *Not prominent*
PRO	PA	**GAN**	DA

Russian:

2 syllables before stress *Not prominent*	1 syllable before stress *Prominent*	Stressed syllable *Very prominent*	Any syllable after stress *Not prominent*
ПРО	ПА	**ГАН**	ДА

Reduction of о and а

Using the chart above, we can represent the vowel reduction of letters **о** and **а** as follows:

2 syllables before stress *Not prominent*	1 syllable before stress *Prominent*	Stressed syllable *Very prominent*	Any syllable after stress *Not prominent*
"uh"	"ah"	**No change: Read as fully stressed**	"uh"

Note that as far as phonetics is concerned, prepositions behave as if they were unstressed syllables of the *following word:*

На вокза́ле:

2 syllables before stress *Not prominent*	1 syllable before stress *Prominent*	Stressed syllable *Very prominent*	Any syllable after stress *Not prominent*
НА	ВОК	**ЗА**	ЛЕ

Reduction of ***ы***

Unlike **о** and **а,** the vowel letter **ы** reduces to an "uh"-type vowel only when it occurs *after the stress but not as part of a grammatical ending:*

шашлы́к	Read as **ы** — stressed
газе́ты	Read as **ы** — last letter in the word
му́зыка	Read as "uh" — after the stress and not the last letter in the word
но́вый	Read as **ы** — part of a grammatical ending

Listen to the utterances below.

А. Underline the stressed (very prominent) vowel.

Б. Strike through the prominent vowels, i.e., those that are one syllable before the stress.

В. Place an "X" over the non-prominent vowels, i.e., those either more than one syllable before the stress or anywhere after the stress.

1. по • па • дём
2. ба • ка • ле • я
3. та • ба • ка
4. хо • ро • шо
5. по • ми • дор
6. за • ка • зы • ва • ла
7. на • вто • ро • е
8. на • слад • ко • е
9. по • ка • зы • ва • ла
10. му • зы • ка
11. до • ро • го
12. мо • ло • дой
13. ра • бо • та • ют
14. ду • ма • ют
15. по • ка • за • ла

Г. Now repeat the words in the list as accurately as you can, paying attention to vowel reduction.

Устные упражнения

Oral Drill 1 (9.1 есть) Say that the following people do not eat meat.

я → Я не ем мя́со. она́ → Она́ не ест мя́со.

студе́нты, ты, вы, сосе́дка по ко́мнате, ваш друг, она́, э́ти же́нщины

Oral Drill 2 (9.1 пить) Finish the sentence that you hear on tape. Be as righteous as possible: ("I'm not allowed to drink . . . *and I don't!*").

Мне нельзя́ пить... → ...и я не пью! Па́влу нельзя́ пить... → ...и он не пьёт!

...нельзя́ пить.

Ма́ме...	Мне...
Па́пе...	Сосе́ду по ко́мнате...
Нам...	Сосе́дке по ко́мнате...
Тебе́...	Де́тям...

Oral Drill 3 (9.2 Instrumental case of nouns and modifiers) Rephrase the sentences, following the model.

Я и твой сосе́д идём в кафе́. → Мы с твои́м сосе́дом идём в кафе́.

Я и... идём в кафе́.

но́вая студе́нтка, ва́ша мать, её мла́дшая дочь, америка́нский преподава́тель, твоя́ сосе́дка, наш друг, твои́ роди́тели, э́тот ме́неджер, э́та интере́сная де́вушка, э́тот молодо́й челове́к, ру́сский врач

Oral Drill 4 (9.2 Instrumental case of pronouns) Confirm that the people in the visiting delegation are traveling with the following people.

Делега́ция е́дет вме́сте с врачо́м? → Да, они́ с ним е́дут вме́сте.

Делега́ция е́дет вме́сте...?

с ва́шей ма́терью, с дире́ктором магази́на, с мла́дшей до́черью, с ва́шей сосе́дкой по ко́мнате, с ва́шими роди́телями, со мной, с на́ми, с тобо́й, с ва́ми

Oral Drill 5 (9.2 Instrumental case of nouns) Unlike the speaker, who orders everything "without," you order everything "with."

Мы берём мя́со без лу́ка. → А мы берём мя́со с лу́ком

Мы берём...

мя́со без карто́шки

мя́со без ры́бы

мя́со без со́уса

мя́со без со́ли

пи́ццу без пе́рца

пи́ццу без колбасы́

бутербро́д без сы́ра

ко́фе без молока́

чай без са́хара

Имя и фамилия: ______________________ *Число:* ______________

Oral Drill 6 (9.3 нельзя́) You know that these people should not eat sweets. Say so.

Ты ешь сла́дкое?!... ➞ ...Тебе́ нельзя́ сла́дкое есть!

Она́ ест сла́дкое?

Де́ти едя́т сла́дкое?

Наш преподава́тель ест сла́дкое?

Мы еди́м сла́дкое?

Ва́ша мать ест сла́дкое?

Роди́тели едя́т сла́дкое?

Твой оте́ц ест сла́дкое?

Oral Drill 7 (9.3 нельзя́) You see someone doing something you know s/he shouldn't be doing. Complete the statement with the appropriate indignant comment.

Ты пьёшь вино́? ➞ А тебе́ нельзя́ пить вино́! Она́ смо́трит телеви́зор? ➞ А ей нельзя́ смотре́ть телеви́зор!

Ты покупа́ешь вино́?

Вы идёте домо́й?

Она́ покупа́ет шокола́д?

Он смо́трит тако́й фильм?

Он живёт в общежи́тии?

Вы чита́ете э́тот журна́л?

Они́ пи́шут пи́сьма?

Ты берёшь вино́?

Oral Drill 8 (9.4 Future tense of быть — *to be*) When asked if various people were home yesterday, say no, but they will be home tomorrow.

Вади́м был до́ма вчера́? ➞ Нет, но он бу́дет до́ма за́втра.

Алекса́ндр, твои́ друзья́, преподава́тель, ты, вы, Ники́тин, сосе́дка по ко́мнате

Oral Drill 9 (9.5 Imperfective future) When asked if various people are doing something today, say they will be doing it tomorrow.

Друзья́ сего́дня отдыха́ют? ⟶ Нет, они́ бу́дут отдыха́ть за́втра.

Ла́ра сего́дня чита́ет?

Вы сего́дня занима́етесь?

Ви́ктор сего́дня слу́шает ра́дио?

Де́ти сего́дня смо́трят телеви́зор?

Ты сего́дня рабо́таешь?

Роди́тели сего́дня убира́ют дом?

Вы сего́дня пи́шете пи́сьма?

Ты сего́дня у́жинаешь в кафе́?

Oral Drill 10 (9.5 Imperfective future) You're bored. Your friend digs up an item that might divert your attention. Respond, using an appropriate verb in the future tense: "Look, here is a paper!" "Great, I'll read the paper!"

Вот журна́л. ⟶ Хорошо́! Я бу́ду чита́ть журна́л. Вот ра́дио. ⟶ Хорошо́! Я бу́ду слу́шать ра́дио.

Вот...

книги, лимона́д, газе́та, му́зыка, шампа́нское, телеви́зор

Имя и фамилия: ______________________________ *Число:* ______________

Oral Drill 11 (9.6 Perfective future) You're asked if you've done whatever you were supposed to have done by now. Say you'll get it done right away.

Вы ужé написáли письмó? ➞ Нет, но я сейчáс напишý!

Вы ужé...

прочитáли журнáл?

приготóвили ýжин?

съéли морóженое?

вы́пили чай?

посмотрéли фотогрáфии?

взя́ли документы?

посовéтовали им, что дéлать?

пообéдали?

позáвтракали?

поýжинали?

сдéлали рабóту?

купи́ли óвощи?

прослýшали кассéту?

Oral Drill 12 (9.6 Aspectual differences in the future) You're asked if you're ever planning to do whatever you were supposed to do. Yes, you say defensively. You'll get it done tomorrow!

Вы бу́дете писа́ть письмо́? ➞ Я напишу́ письмо́ за́втра!
Вы бу́дете чита́ть кни́гу? ➞ Я прочита́ю кни́гу за́втра!

Вы бу́дете...

покупа́ть оде́жду?

смотре́ть фильм?

гото́вить у́жин?

чита́ть журна́л?

гото́вить котле́ты?

слу́шать пласти́нку?

де́лать уро́ки?

брать кни́ги?

Oral Drill 13 (9.6 Perfective future) Tell your friend that Masha will do everything.

Хо́чешь, я пригото́влю у́жин? ➞ Не на́до! Ма́ша пригото́вит.
Хо́чешь, я куплю́ газе́ту? ➞ Не надо! Ма́ша ку́пит.

Хо́чешь, я...

пойду́ в библиоте́ку?

пойду́ в магази́н?

куплю́ пода́рок?

пригото́влю за́втрак?

сде́лаю пи́ццу?

напишу́ письмо́?

прочита́ю тебе́ расска́з?

посове́тую, что де́лать?

Имя и фамилия: ______________________________ *Число:* ____________________

Oral Drill 14 (New verb — взять; see also 9.6 aspect) When asked what various people will order, say that they'll probably get fish.

Что бу́дет есть па́па?	➞	Он, наве́рное, возьмёт ры́бу.
Что ты бу́дешь есть?	➞	Я, наве́рное, возьму́ ры́бу.

Вале́рий, на́ши друзья́, Анна Дми́трьевна, де́ти, мы, я, они́, дочь

Oral Drill 15 (New verb — брать; see also 9.6 aspect) Some of the guests will probably order wine. *You* know that they *always* order wine.

Же́ня, наве́рное, возьмёт вино́.	➞	Она́ всегда́ берёт вино́.
Ты, наве́рное, возьмёшь вино́.	➞	Я всегда́ беру́ вино́.

Андре́й Миха́йлович, я, мы, на́ши друзья́, вы, сосе́д по ко́мнате, Алла, ты

Письменные упражнения

1. (Practice with large numbers) Write out the words for the amount in rubles and kopecks.

52-50 *Пятьдесят два рубля, пятьдесят копеек*

32-50 ______________________________

3-20 ______________________________

7-92 ______________________________

91-52 ______________________________

84-70 ______________________________

11.200 ______________________________

19.800 ______________________________

22.350 ______________________________

91.700 ______________________________

110.800 ______________________________

____

2. (9.1 есть and пить) Fill in the blanks with the appropriate present-tense forms of **есть** or **пить.**

а. Утром я ____________ хлеб и ____________ чай с лимоном.

б. Маша ____________ кашу и ____________ молоко.

в. Её родители ____________ яичницу и ____________ чёрный кофе.

г. Днём я ____________ суп с рыбой и ____________ Пепси.

д. Вы тоже ____________ суп?

е. Вечером эти студенты обычно ____________ кофе с молоком.

ж. Ты обычно ________ кофе или чай?

з. Ты ________ сладкое каждый день?

и. Мы ________ фрукты и ________ минеральную воду.

к. Этот человек вегетарианец, он вообще не ________ мясо.

3. (9.1 есть, завтракать, обедать, ужинать, пить) Express the following ideas about food in Russian, filling in the questions in parentheses with information that fits your life.

а. I usually eat breakfast (when) (where).

____

б. I love to eat (what).

____

в. I eat lunch (when, where).

____

г. For lunch (**на обед**) I eat (what) or (what), and drink (what).

____

д. I usually eat dinner (where), but sometimes I eat dinner at a restaurant.

____

4. (9.1 есть, пить) Compose 10 factually and grammatically correct sentences from the elements given below. Use one phrase from each column in each sentence. Do not change word order.

я		часто		молоко
моя сестра		редко		грейпфрут
мои родители	сейчас	никогда не	есть	мясо
дети	раньше	каждый день	пить	шампанское
американцы		утром		кофе
студенты		вечером		пицца

а. ____

б. ____

в. ____

г. ____

д. ____

е. ____

ж. ____

з. ____

и. ____

к. ____

5. (9.2 Instrumental case) Fill in the menu items with anything that fits. Choose from the following:

мясо, мясной фарш, красный перец, горячее молоко, сахар, чёрный хлеб, сыр, жаренная картошка, шоколадный соус, рыбный салат, русская колбаса

Бутерброд с ______________________________

Суп с ____________________________________

Кофе с ___________________________________

Обед с ___________________________________

Мороженое с ______________________________

Пицца с __________________________________

6. (9.2 Instrumental case) Following the model, rewrite sentences replacing the **Я и ...** expressions with **Мы с ...** expressions. Then complete the sentence. You may use any of the phrases at the right, or you can invent your own.

Я и вы... → Мы с вами идём на урок.

Я и наш друг...	любим ходить в кино, советуем вам заниматься,
Я и твоя соседка...	отдыхали дома, пойдём в столовую, возьмём вино,
Я и семья...	хорошо учимся, закажем обед, будем есть борщ
Я и ты...	
Я и она...	
Я и он...	
Я и вы...	

____

____

____

____

____

____

____

7. (9.2 Instrumental case) Один или вместе?

> **ВНИМАНИЕ!**
>
> Он говорит:
>
> **Я живу́ оди́н.**
>
> Она говорит:
>
> **Я живу́ одна́.**

Вы живёте с родителями, с соседом (с соседкой) или одни?

____

Вы занимаетесь с друзьями или одни?

____

Вы ходите на занятия со знакомыми или одни?

____

Вы отдыхаете с семьёй или одни?

____

Вы обедаете с другими студентами или одни?

____

8. (9.3 Subjectless constructions) Fill in the blanks with the needed word.

> легко • можно • надо • нужно • невозможно • нельзя • трудно

а. Сегодня мне __________________ смотреть телевизор. Ведь завтра будет экзамен.

б. Нам ______________________________ заниматься, потому что завтра будет экзамен.

в. Это очень популярный ресторан — туда ________________ попасть.

г. ______________________________________ готовить пиццу.

д. Говорить по-русски мне ______________________________.

е. Мы приготовим бутерброды. __________________ купить хлеб.

9. (9.3 Subjectless constructions, personalized) Complete the following sentences so that they make sense.

а. Сегодня мне надо ____

б. Мне очень трудно ____

в. Когда я занимаюсь, мне нельзя ________________________________

г. Когда у меня будут дети, им нельзя будет ________________________

д. Когда у меня будут дети, им нужно будет ________________________

10. (9.4 Future tense of быть) Make future-tense sentences from the following lists of words. Use the future tense of **быть.** Do not change word order. Be sure to put adjectives and nouns in the required case.

Завтра / мы / быть / в / Санкт-Петербург

____

Днём / у нас / быть / свободное время

____

Кто / где / быть?

____

Маша и Катя / быть / в / Эрмитаж

____

Кевин / быть / на / книжный рынок

____

Я / быть / в / новая школа

____

А / где / ты / быть, / Джон?

____

Нина Павловна, / где / вы / быть?

____

11. (9.4 Future tense of быть, personalized) Answer the following questions, using complete sentences and the future tense of **быть** as in the model.

Где вы будете завтра днём? → Завтра днём я буду в библиотеке.

а. Где вы будете в пятницу вечером?

____

б. Где вы будете во вторник утром?

____

в. Где будут ваши друзья в субботу утром?

____

г. Где вы будете летом (в июне, в июле и в августе)?

____

д. Где будут ваши родители на Новый год?

____

12. (9.5 Imperfective future, personalized) Indicate some things you will do next week by selecting 10 activities from the list below and writing them in on the schedule. Do not use any verb more than twice. Follow the model provided.

читать газету, книгу, журнал, письма, ... писать письма, диссертацию, ... слушать радио, пластинки, лекции думать об университете, ... говорить о политике, об экономике, ... работать (где?) заниматься (где?) ужинать в ресторане

Понедельник: Я буду заниматься в библиотеке

____

Вторник: ______________________________

____

Среда: ______________________________

____

Четверг: ______________________________

____

Пятница: ______________________________

____

Имя и фамилия: ______________________________ *Число:* ____________________

13. (9.6 Aspect) Indicate whether each of the sentences in the following story refers to the present (P) or the future (F). Underline the words that make it possible to determine this. The first one is done for you.

__P__ Маша <u>сейчас готовит</u> пиццу.

_____ Завтра она приготовит котлеты по-киевски.

_____ Утром она купит курицу.

_____ Каждый день она покупает хлеб.

_____ Когда она будет в Москве, она не будет готовить.

_____ Она всё время будет ужинать в столовой.

_____ Там она будет брать чай.

_____ А дома она обычно берёт кофе.

_____ Её мама ей советует не пить кофе.

_____ Сегодня вечером она возьмёт шампанское.

_____ Что мама посоветует ей делать?

14. (9.6 брать vs. взять) Fill in the blanks using the present tense of **брать** and the future tense of **взять,** where needed.

— Сейчас посмотрим, что на меню. Вот я, наверное, [will get] ______________ рыбу. Ты, как всегда, [will get] ______________________________ мясо?

— Да. Ведь я всегда [get] ________________________ мясо, если оно есть.

— А если нет мяса?

— Тогда мы [will get] ______________________________ две порции рыбы.

— А на сладкое что мы [will get] ______________________________?

— Сейчас посмотрим. А интересно, что [are getting] ____________________ молодые люди, которые вон там сидят. Кажется, им приносят очень интересное блюдо.

15. (Pulling it together) Answer the following questionnaire.

Какие фрукты вы любите?

____

Какие овощи вы любите?

____

Что вы любите есть на завтрак? На обед?

____

Что вы любите есть на ужин?

____

С кем вы обычно ходите в ресторан?

____

Что вы обычно заказываете в ресторане?

____

Что вы пьёте на завтрак? Если вы пьёте кофе или чай, то с чем вы его пьёте?

____

Что вам нельзя есть?

____

Что вам нельзя пить?

____

Какую кухню вы любите?

____

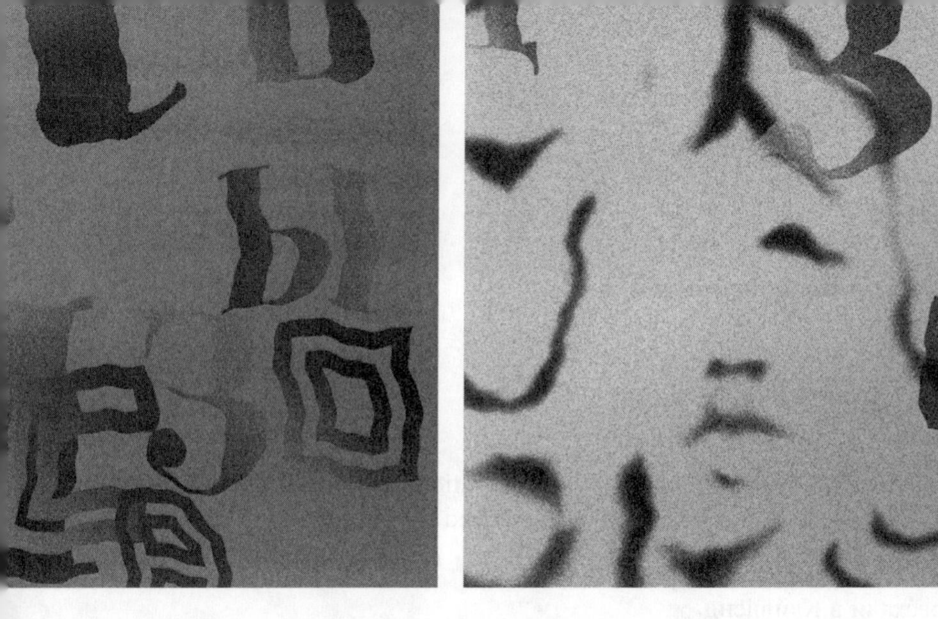

Биография

Числительные

Listen to the tape and write down the years of birth of these famous people.

	год рожде́ния
1. Юрий Гага́рин (пе́рвый космона́вт)	________________
2. Алла Пугачёва (арти́стка эстра́ды)	________________
3. Бори́с Ельцин (полити́ческий де́ятель)	________________
4. Роа́льд Сагде́ев (астрофи́зик)	________________
5. Ната́лья Него́да (киноактри́са)	________________
6. Артём Борови́к (журнали́ст)	________________
7. Татья́на Толста́я (писа́тель)	________________
8. Илья́ Глазуно́в (худо́жник)	________________
9. Дина́ра Аса́нова (кинорежиссёр)	________________
10. Бе́лла Ахмаду́лина (поэ́т)	________________

Фонетика и интонация

IC–4 in Questions Asking for Additional Information

Intonation Contour (IC–4)

IC–4 is used for questions beginning with the conjunction **a** that ask for additional information on the topic at hand. The best English equivalent is "And what about...?" IC–4 is characterized by a low rising tone:

— Когда́ мне бы́ло 10 лет, мы перее́хали в Кли́вленд. (3 … 1)

— А до э́того? (4)

— До э́того мы жи́ли в Чика́го. (1)

— А пото́м? (4)

— А пото́м мы перее́хали в Да́ллас. (1)

Keep in mind that not all utterances beginning with the word **a** feature IC–4, only those that ask for additional information.

Имя и фамилия: ________________________________ *Число:* ____________________

А. Determine which of the sentences below can be expected to have IC–4. Then listen to the tape to see if you were correct.

— Кто э́то на фотогра́фии?

— Брат.

— А э́то?

— Сестра́. Вот сестра́ родила́сь в Ирку́тске.

— А брат? Он то́же из Ирку́тстка?

— Нет, он роди́лся и вы́рос в Новосиби́рске. Пото́м он перее́хал в Москву́ рабо́тать.

— А институ́т? Како́й институ́т он око́нчил?

— А он не учи́лся в институ́те. Он сра́зу пошёл рабо́тать.

— А сестра́? Она́ учи́лась в институ́те?

— Она́ ещё у́чится. В медици́нском. На пя́том ку́рсе.

— А пото́м?

— Пото́м ординату́ра.

— А по́сле э́того?

— Рабо́та в го́спитале.

Б. Repeat the utterances given above so that your intonation matches that of the speakers on the tape.

Устные упражнения

Oral Drill 1 (10.1 Resemblance, and review of accusative case) Say that the person showing you pictures resembles the people in the photographs.

Это фотогра́фия ма́мы.	→	Вы о́чень похо́жи на ма́му!
Это фотогра́фия бра́та.	→	Вы о́чень похо́жи на бра́та!

Это фотогра́фия ...

па́пы, дру́га, сосе́да, ба́бушки, ма́тери, до́чери, отца́, сестры́, бра́та, сы́на

Oral Drill 2 (10.1 Resemblance and review of accusative case) Agree with the speaker that the people look alike.

Сын похо́ж на отца́.	→	И оте́ц похо́ж на сы́на.
Мать похо́жа на дочь.	→	И дочь похо́жа на мать.

Брат похо́ж на сестру́.

Брат похо́ж на дете́й.

Ты похо́ж на меня́.

Мы похо́жи на вас.

Она́ похо́жа на него́.

Они́ похо́жи на нас.

Ты похо́ж на неё.

Ве́ра похо́жа на Макси́ма.

Студе́нтка похо́жа на них.

Oral Drill 3 (10.2 Comparing ages) You learn how old some new acquaintances are. State who is younger and by how many years.

На́сте 18 лет. Поли́не 20 лет.	→	На́стя моло́же Поли́ны на два го́да.
Ки́ре 17 лет. Поли́не 20 лет.	→	Ки́ра моло́же Поли́ны на три го́да.

Ки́ре 17 лет. На́сте 18 лет.

Кири́ллу 19 лет. Поли́не 20 лет.

Ки́ре 17 лет. Кири́ллу 19 лет.

Са́ше 15 лет. Мари́и 23 го́да.

Па́влу 14 лет. Мари́и 23 го́да.

На́сте 18 лет. Поли́не 20 лет.

Ви́ктору 13 лет. Кири́ллу 19 лет.

Ла́ре 12 лет. Ви́ктору 13 лет.

Oral Drill 4 (10.2 Comparing ages) You learn how old some new acquaintances are. State who is older and by how many years.

Лю́бе 20 лет. Ки́ре 17 лет. → Лю́ба ста́рше Ки́ры на три го́да.
На́сте 18 лет. Ки́ре 17 лет. → На́стя ста́рше Ки́ры на год.

Ви́ктору 13 лет. Ло́ре 12 лет.

Лю́бе 20 лет. Ви́ктору 13 лет.

Кири́ллу 19 лет. Са́ше 15 лет.

Мари́и 23 го́да. Ла́ре 10 лет.

Лю́бе 20 лет. Ла́ре 10 лет.

Ви́ктору 13 лет. Сестре́ 11 лет.

Мари́и 23 го́да. Ле́не 12 лет.

Са́ше 15 лет. Па́влу 14 лет.

Oral Drill 5 (Textbook p. 303 — Elementary/high school versus university) Listen for these students' level of study. Then state whether they go to elementary/high school or college.

Ви́тя у́чится в деся́том кла́ссе. → Ага́, зна́чит, он у́чится в шко́ле.
Алла у́чится на тре́тьем ку́рсе. → Ага́, зна́чит, она́ у́чится в университе́те.

Зи́на у́чится на пе́рвом ку́рсе.

Жа́нна у́чится на пя́том ку́рсе.

Ко́ля у́чится в шесто́м кла́ссе.

Марк у́чится во второ́м кла́ссе.

Та́ня у́чится на тре́тьем ку́рсе.

Воло́дя у́чится на второ́м ку́рсе.

Oral Drill 6 (Textbook p. 303 — Elementary/high school versus university) When told where various people go to school, ask what year they're in.

Ма́ша у́чится в шко́ле. → Да? В како́м кла́ссе она́ у́чится? Бра́тья Ка́ти у́чатся в институ́те. → Да? На како́м ку́рсе они́ у́чатся?

Де́ти у́чатся в шко́ле.

Ди́ма у́чится в университе́те.

Сёстры Са́ши у́чатся в институ́те.

Анто́н у́чится в шко́ле.

До́чери сосе́да у́чатся в шко́ле.

Вале́ра у́чится в институ́те.

Oral Drill 7 (10.4 поступа́ть/поступи́ть куда́) Listen to the statements telling you how good a student various people are, and indicate the probability that they will go to the university.

Я хорошо́ учу́сь. → Ты, наве́рное, посту́пишь в университе́т. Ва́ря пло́хо у́чится. → Она́, наве́рное, не посту́пит в университе́т.

Ми́ла хорошо́ у́чится.

Са́ша пло́хо у́чится.

Я хорошо́ учу́сь.

Бра́тья хорошо́ у́чатся.

Друзья́ пло́хо у́чатся.

Вы хорошо́ у́читесь.

Ты хорошо́ у́чишься.

Сын сосе́да пло́хо у́чится.

Oral Drill 8 (10.4 поступа́ть/поступи́ть куда́) When told where various people go to school, ask when they entered.

Ма́ша у́чится в институ́те.	→	А когда́ она́ поступи́ла в институ́т?
Мы у́чимся в аспиранту́ре.	→	А когда́ вы поступи́ли в аспиранту́ру?

Я учу́сь в институ́те.

Воло́дя у́чится в университе́те.

Ми́ша у́чится в аспиранту́ре.

Кири́лл и Ва́ня у́чатся в аспиранту́ре.

Ла́ра у́чится в университе́те.

Oral Drill 9 (10.4 око́нчить шко́лу, университе́т, институ́т) Ask when the people will graduate.

Ма́ша у́чится в шко́ле.	→	А когда́ она́ око́нчит шко́лу?
Мы у́чимся в аспиранту́ре.	→	А когда́ вы око́нчите аспиранту́ру?

Я учу́сь в институ́те.

Воло́дя у́чится в университе́те.

Ми́ша у́чится в шко́ле.

Кири́лл и Ва́ня у́чатся в аспиранту́ре.

Ла́ра у́чится в университе́те.

Oral Drill 10 (10.5 в како́м году́) Check that you heard the birth years of the Russian writers correctly.

Юлия Вознесе́нская родила́сь в 1940-о́м году́.	→	В како́м году́? В 1940-о́м году́?

Алекса́ндр Солжени́цын роди́лся в 1918-ом году́.

Татья́на Мамо́нова родила́сь в 1943-ем году́.

Осип Мандельшта́м роди́лся в 1891-ом году́.

Наде́жда Мандельшта́м родила́сь в 1899-ом году́.

Евге́ния Ги́нзбург родила́сь в 1906-о́м году́.

Васи́лий Аксёнов роди́лся в 1932-о́м году́.

Oral Drill 11 (10.6 чéрез, назáд) Substitute with the cue given.

Я окóнчу университéт чéрез год. Мáша ⟶ Мáша окóнчит университéт чéрез год. год назáд ⟶ Мáша окóнчила университéт год назáд.

Ивáн

зáвтра

вчерá

мы

Анна

чéрез недéлю

онú

чéрез 3 гóда

я

ты

4 мéсяца назáд

онú

Oral Drill 12 (10.7 Verb aspect) When asked if you are doing something, say that you've already finished it.

Вы читáете кнúгу? ⟶ Мы ужé прочитáли кнúгу.

Вы зáвтракаете?

Вы обéдаете?

Вы ýжинаете?

Вы пúшете письмó?

Вы смóтрите фильм?

Вы закáзываете стол?

Вы рассказываете о семьé?

Вы покáзываете фотогрáфии?

Вы готóвите пúццу?

Oral Drill 13 (New verb — пока́зывать/показа́ть) Your friend is looking for people who promised to show her their photos. Assure her that the person will show them right away.

> Где Вади́м? Мы ещё не смотре́ли его́ фотогра́фии! ➞ Он их сейча́с пока́жет.
> Где ты? Мы ещё не смотре́ли твои́ фотогра́фии! ➞ Я их сейча́с покажу́.

Где...

соседи, тури́ст, фото́граф, вы, на́ши друзья́, Аня, роди́тели, ты

Oral Drill 14 (New verb — расска́зывать/рассказа́ть) Assure your friend that he hasn't yet missed the story about how someone moved from one place to another. The story is about to be told.

> Воло́дя рассказа́л, как он перее́хал? ➞ Нет, но сейча́с расска́жет.
> Вы рассказа́ли, как вы перее́хали? ➞ Нет, но сейча́с расска́жем.

Они́ рассказа́ли, как они́ перее́хали?

Сосе́д по ко́мнате..?

Валенти́на Влади́мировна..?

Ты..?

Сосе́ди..?

Вы..?

Oral Drill 15 (Review of all tenses) You're talking to a chatterbox and you've lost your temper. Insist that you don't want to hear another word about what the person in question did, is doing, or is going to do!

> Вы зна́ете, где отдыха́ет Жа́нна? ➞ Не зна́ю, где она́ отдыха́ла, где она́ отдыха́ет, и́ли где она́ бу́дет отдыха́ть!

Вы зна́ете,...

где рабо́тает Евге́ний?

где у́чится Ва́ня?

где живёт Воло́дя?

где живу́т де́ти?

где я учу́сь?

где мы рабо́таем?

Oral Drill 16 (New verb — переезжа́ть/перее́хать) You're asked if various people move a lot. State that they do, and add that they moved a year ago and will move again in a year.

Вы ча́сто переезжа́ете? → Да, мы переезжа́ем ча́сто. Мы перее́хали год наза́д и перее́дем че́рез год.

Эта семья́ ча́сто переезжа́ет?

Брат Ве́ры..? Их де́ти..?

Роди́тели Ро́берта..?

Твой друг..? Ты..?

Oral Drill 17 (New verb — реша́ть/реши́ть) When asked if someone is still deciding what to do, indicate that the person has already decided.

Ви́тя ещё реша́ет, что де́лать? → Нет, он уже́ реши́л.

... ещё реша́ет, что де́лать?

На́дя, Валенти́н Петро́вич, Со́фья Алекса́ндровна, Гри́ша и Пе́тя, Со́ня

Письменные упражнения

1. (10.1 Resemblance)

A. Indicate that the following people look alike, following the model.

Иван, дочь ⟶ Иван похож на дочь.

1. Маша, бабушка

____

2. бабушка, сын

____

3. этот молодой человек, родители

____

4. Вадим, братья

____

5. Александр, брат

____

6. дедушка, наш президент

____

7. Лена, тётя

____

8. Анна, сёстры

____

9. Сьюзан, наш новый преподаватель

____

10. я, ?

____

Б. Write five more sentences based on the model, about members of your family.

11. ____

12. ____

13. ____

14. ____

15. ____

2. (10.2 Comparing ages)

A. Create grammatically correct sentences from the following strings of words. Do not change word order, but do put the words in the needed case.

1. Витя / моложе / Таня / на / 3 / год

____

2. Таня / старше / Кирилл / на / 6 / год

____

3. Кирилл / старше / Лариса / на / (1) / год

____

4. Лариса / моложе / Вадим / на / 2 / год

____

Б. Write 5 sentences comparing the ages of various members of your family.

5. ____

6. ____

7. ____

8. ____

9. ____

3. (10.3 Expressing location)

A. Fill in the blanks with the appropriate word. Consult the map on the book flap as you complete this exercise.

1. Новгород на ______________ от Санкт-Петербурга.
2. Новосибирск на ______________________ от Иркутска.
3. Екатеринбург на __________________ от Москвы.
4. Псков на _________________ от Минска.

Б. Describe the location of your hometown with respect to the following cities. Remember that foreign nouns ending in **-о** or **-и** do not decline.

5. Чикаго

____

6. Вашингтон

____

7. Лос-Анджелес

____

8. Сан-Франциско

____

9. Филадельфия

____

4. (10.4 поступать / поступить *куда,* окончить *что*)

А. Insert the preposition **в** where needed.

1. Лариса окончила ________ школу в 1993-ем году. Потом она поступила ________ университет.
2. Её знакомые Гриша и Яша уже окончили ________ университет.
3. Когда Гриша окончил ________ университет, он поступил ________ аспирантуру.
4. Брат Ларисы поступал ________ медицинский институт, но не поступил.

Б. Express the following questions in Russian. Do not translate word for word; rather, use the needed Russian structures. Use **вы.** Pay special attention to verb tense.

5. When did you graduate from school?

____

6. When did you enter the university?

____

7. When did your mother finish graduate school?

____

8. Will your brother enter an institute when he finishes high school?

____

____

9. Do all Russian schoolchildren apply to the university?

____

5. (Education vocabulary — в классе vs. на курсе. Textbook p. 303.) Fill in the blanks with the appropriate words. You should be able to tell what grade or class the people mentioned in part a are in from the context.

а. Аня учится в школе, _____ первом ___________________. Её брат Миша на два года старше.

Он учится ________ _________________ __________________________. Их сосед Андрей

поступил в институт в сентябре. Значит, он учится _______ _____________ ________________.

Сестра Андрея окончит институт в июне. Значит, она учится _____ ______________

____________________.

б. Я учусь _____ ______________ ____________________.

Имя и фамилия: ______________________________ *Число:* ______________

6. (Education vocabulary. Textbook, p. 303.) Answer in complete sentences. Use the following phrases if you need them:

Никто не учится в школе. *No one is in (grade/high) school* Никто не учится в университете. *No one is in college/university.*

а. Сколько классов в американской школе?

____

б. Сколько классов в русской школе?

____

в. Сколько лет учатся американские студенты? (*Внимание:* **студент ≠ ученик!**)

____

г. Сколько лет учатся русские студенты? (*Внимание:* **студент ≠ ученик!**)

____

д. Кто в вашей семье учится в школе? В каком классе?

____

е. Кто в вашей семье учится в университете? На каком курсе?

____

7. (10.5 Expressing year when—Personalized) Answer the questions in complete sentences. If you do not have the relative(s) asked about in a question, skip that question. Write numbers as words, and write in accent marks. Practice saying the sentences until you can do so quickly and confidently.

а. В каком году вы родились?

____

б. В каком году родились ваши родители?

____

____

____

в. В каком году родились ваши братья и сёстры?

____

____

____

г. В каком году родилась ваша жена (родился ваш муж)?

____

____

____

д. В каком году родились ваши дети?

____

____

____

8. (10.6 через, назад) Pick five questions below and answer them in complete sentences, using a time expression with **через** or **назад.**

а. Когда вы окончили школу?

б. Когда вы поступили в университет?

в. Когда вы окончите (окончили) университет?

г. Когда вы были в России?

д. Когда вы едете в Москву?

е. Когда вы первый раз ездили в Вашингтон?

ж. Когда вы читали газету?

з. Когда вы будете читать русские газеты?

и. Когда вы будете отдыхать?

к. Когда вы будете смотреть телевизор?

9. (10.7 Verb aspect—past tense) Circle the imperfective verbs and underline the perfective verbs. Be prepared to explain the reason for the aspect choice.

а. Вчера Лена долго читала книгу. Наконец она её прочитала.

б. Андрей долго писал письмо. Теперь он его написал.

в. — Американцы часто переезжают? — Да. Мы, например, переезжали часто. Когда мне было 10 лет, мы переехали в Чикаго.

г. — Вы обедаете? —Нет, уже пообедала.

д. Вы читали «Братьев Карамазовых»?

е. — Вы слушаете запись? — Мы её уже послушали. Теперь слушаем музыку.

ж. — Вы уже купили новый шарф?

з. — Что вы делали вчера? — Ходила в кино, читала, отдыхала.

и. — Вы вчера писали письмо? — Да, и написала.

к. Мы пошли в центр, купили фрукты и приготовили вкусный ужин.

л. Соня обычно покупала газету, но вчера Витя её купил.

м. На прошлой неделе Гриша читал газету каждый день. Вчера он читал роман.

н. Вера часто заказывала стол в ресторане.

о. Лара редко заказывала билеты, она обычно покупала их в театре.

п. Мы заказали билеты в театр.

10. (10.7 Verb aspect—past tense) Skim the following passage. You do not know every word in it, but you should be able to understand a great deal of it. Then read it again, paying special attention to the verbs in bold. Are they imperfective or perfective? Why?

Здра́вствуйте. Меня́ зову́т Анна. **Я родила́сь** в Бе́рлингтоне, в шта́те Вермо́нт. Но когда́ мне бы́ло два го́да, на́ша семья́ **перее́хала** в Вашингто́н. Я там и **вы́росла.** Когда́ я была́ ма́ленькой, я всё вре́мя **чита́ла.** Роди́тели меня́ всегда́ **спра́шивали:** «Что ты всё вре́мя сиди́шь до́ма? Ты лу́чше иди́ на у́лицу». А я всегда́ **отвеча́ла:** «Мне и так хорошо́». Роди́тели ничего́ не **понима́ли.** Когда́ мне бы́ло семна́дцать лет, я **поступи́ла** в университе́т на факульте́т англи́йского языка́. В университе́те **учи́лась** о́чень хорошо́. Все преподава́тели мне **сове́товали** поступи́ть в аспиранту́ру. Но у меня́ не́ было де́нег. Поэ́тому когда́ я **око́нчила** университе́т, я **реши́ла** пойти́ рабо́тать. **Я ду́мала** так: «Снача́ла я порабо́таю, зарабо́таю де́ньги, пото́м **поступлю́** в аспиранту́ру». Че́рез два го́да я **поступа́ла** в Мичига́нский университе́т, но не **поступи́ла.** Наконе́ц, в 1991-ом году́, я **поступи́ла** в аспиранту́ру. Моя́ специа́льность — америка́нская литерату́ра. Как ви́дите, всё хорошо́, что хорошо́ конча́ется.

Имя и фамилия: ______________________________ *Число:* ____________________

11. (10.7 Verb aspect—past tense) Select the appropriate verbs.

а. Вчера мы (покупали / купили) газету вечером, но раньше мы всегда (покупали / купили) её утром.

б. Когда мы жили в Воронеже, мы часто (заказывали / заказали) билеты в театр. Мы их (заказывали / заказали) по телефону.

в. Наша семья часто (переезжала / переехала). Например, в 86-ом году мы (переезжали / переехали) в Кливленд, а в 87-ом году мы (переезжали / переехали) в Олбани.

г. Раньше Ксана всегда (читала / прочитала) Толстого. Вчера она (читала / прочитала) книгу Достоевского.

д. Петя часто (писал / написал) письма.

е. Наташа и Вера редко (покупали / купили) книги. Они обычно (читали / прочитали) их в библиотеке. Но вчера они (покупали / купили) книгу.

ж. — Надя показывает квартиру? — Она её уже (показывала / показала).

з. — Что делал Ваня вчера? Он (рассказывал / рассказал) о семье.

и. — Ваня рассказывает о семье? — Он уже всё (рассказывал / рассказал).

к. — Дети обедают? — Они уже (обедали / пообедали).

л. — Что делали дети? — Они (обедали / пообедали).

м. — Вы ужинаете? — Нет, мы уже (ужинали / поужинали).

н. Когда Ване было 10 лет, он всегда (читал / прочитал) книги.

о. Мы часто (писали / написали) письма.

п. Вчера мы (покупали / купили) продукты, (готовили / приготовили) ужин и (ужинали / поужинали) дома.

р. Раньше мы редко (покупали / купили) продукты и (ужинали / поужинали) дома.

с. Вчера мы весь день (готовили / приготовили) ужин.

12. (10.7 Verb aspect—past tense) Fill in the blanks with an appropriate past-tense verb.

а. — Вы обедаете?

— Нет, мы уже ____.

б. — Вы читаете газету?

— Нет, мы её уже ____.

в. — Вы готовите ужин?

— Нет, мы его уже ____.

г. — Мария пишет упражнение?

— Нет, она его уже ____.

д. — Алёша смотрит программу?

— Нет, он её уже ____.

е. — Дети показывают фотографии?

— Нет, они их уже ____.

ж. — Рик рассказывает о себе?

— Нет, он уже ____.

з. — Он поступает в аспирантуру?

— Он уже ____.

и. — Она переезжает?

— Она уже ____.

к. — Кира решает, где учиться?

— Она уже ____.

л. — Виктор завтракает?

— Он уже ____.

м. — Шура заказывает стол в ресторане?

— Она его уже ____.

н. — Вы покупаете словарь?

— Мы его уже ____.

о. — Дети ужинают?

— Они уже ____.

13. (10.8 ездил vs. поехал, ходил vs. пошёл) Fill in the blanks with the appropriate form of the needed verb.

а. — Где Иван? — Он ______________________ в Москву.

б. — Где была Маша неделю назад? — Она __________ в Киев.

в. — Где Анна? — Она ____________________ в кино.

г. — Где она была вчера? — Утром ______________ на рынок.

д. — Где были родители? — Они ________________ в Калинин.

е. — Где дети? — Они _______________________ в школу.

ж. — Где Андрей? — Он ___________________ в Ленинград.

з. — Где вы были неделю назад? — Мы ______________ в Ереван.

и. — Где вы были во вторник? — Мы ______________ в зоопарк.

к. — Где профессор? — Он __________________ в библиотеку.

14. (10.9 Have been *x*-ing) How would you ask a friend how long she has been doing the following things?

Я учусь в университете. → Сколько времени ты там учишься?

а. Я живу в общежитии.

____

б. Родители живут в Петрозаводске.

____

в. Я изучаю английский язык.

____

г. Я ещё знаю немецкий язык.

____

д. Я читаю интересный роман Воннегута.

____

15. (10.9 Have been *x*-ing—Personalized) Complete the following sentences so that they are factually and grammatically accurate.

а. Я давно ______________________________

б. Мои родители давно ______________________________

в. Я знаю русский язык ______________________________

16. (Review) Compose an accurate paragraph in Russian by putting the correct endings on the following elements. Do not change word or sentence order, and do not add any words.

У / Кирилл / и / Елена / двое / дети. Сын / уже / учиться / в / институт. Он / туда / поступить / два / год / назад. Его / сестра / ещё / учиться / в / школа. Она / учиться / в / десятый / класс. Когда / она / окончить / школа, / она / хотеть / пойти / работать.

____

____

____

____

____

____

____

____

____

____

____